les recettes
de
L'AUBERGE
DE L'ILL

à Mr. Michael Blanche Valdes

avec toute notre sympathie

J. P. Haeberlin

Paul Haeberlin

Du même auteur :
Paul et Jean-Pierre Haeberlin
Meïsterküche im Elsass

Die Auberge de l'Ill
édition en allemand
Econ Verlag 1981

paul et jean-pierre
HAEBERLIN

les recettes
de
L'AUBERGE
DE L'ILL

flammarion

Photos Johan Willsberger

Page de garde : Lavis original de Roger Mûhl exécuté spécialement pour cette édition.
Madame Ginette Hell-Girod a participé à la révision du texte des recettes de cet ouvrage.

A Frédéric et Frédérique Haeberlin
nos grands-parents

L'AUBERGE DE L'ILL
CE HAUT LIEU D'INVENTION
ET DE PERFECTION CULINAIRES

Par Paul Marchal

On ne présente pas Paul Haeberlin. Ni d'ailleurs Jean-Pierre. Ni l'« Auberge de l'Ill ». Ces trois noms indissociables n'appartiennent-ils pas au capital émotionnel commun à tous les Français épris d'un certain plaisir de vivre, et à tous ceux qui, de par le monde, se réclament de la gastronomie française ?

Mais la parution de ces Recettes de Paul Haeberlin *— qui nous porte à nous approprier ce vers de la douce Marceline : « Prisonnière en ce livre une âme est contenue » — offre l'occasion d'esquisser les grandes lignes du contexte historique, professionnel, sociologique de l'événement que constitue l'exemplaire rayonnement d'une auberge familiale, aujourd'hui centenaire.*

Aussi bien, dans la floraison des ouvrages de cuisine qui a marqué ces dernières années, le présent recueil paraît-il digne d'occuper une place à part. Paul Haeberlin, son auteur (mais tout porte à croire que Jean-Pierre, son frère, regardait par-dessus son épaule pendant qu'il écrivait), a joué la difficulté. Il s'est interdit de convier ses lecteurs à la pratique d'un art facile, qui ne ferait pas appel à un goût formé, à un certain savoir-faire, à un talent déjà averti. Cet ouvrage n'est pas un bréviaire pour toutes les heures, mais un rituel pour fêtes carillonnées. Un appel à un constant dépassement. Au niveau où se situe l'Auberge de l'Ill, en effet, il lui fallait émerger des zones de l'utilitaire, du stéréotypé, fût-il très bon. La cuisine que Paul Haeberlin propose à ceux « qui savent ce que manger veut dire » est en effet poussée à un tel degré de perfection qu'il ne pouvait, sous peine de se renier lui-même, qu'évoluer sur des sommets où il nous invite à le suivre.

C'est leur propre renom que Paul et Jean-Pierre engagent ; c'est de l'esprit de leur maison et de leur lignée qu'ils témoignent : entreprise exaltante quoique périlleuse. Mais en même temps, au-delà de leur propre affaire familiale, c'est toute la cuisine alsacienne qui se trouve concernée, celle qui a ses constantes et son caractère, ses valeurs et sa réputation ; celle qui s'abreuve aux sources régionales traditionnelles tout en se pliant aux exigences de l'époque ; celle, en un mot, dont l'Auberge de l'Ill est le plus beau fleuron.

Plus loin encore, c'est toute la grande cuisine française qui s'y trouve illustrée et soumise à jugement. Selon la loi de solidarité interne à un métier, celui que la rumeur reconnaît comme figure de proue — primus inter pares — inclut dans sa destinée singulière une part de la destinée de ses confrères. Un établissement de second rang qui se fourvoie ne porte guère tort qu'à lui-même ; mais un établissement situé au niveau de l'élite qui faillit, c'est tout un pan du génie porté au crédit d'une communauté nationale qui s'écroule. Les frères Haeberlin le savaient. Ils savaient quelle était l'ampleur de l'enjeu. Prisonniers de leur notoriété, ils se trouvaient contraints dans cet ouvrage à rester eux-mêmes, dans leur vérité quotidienne. Mais cette responsabilité acceptée, ce risque encouru ajoutaient à la gageure et aiguillonnaient leur résolution. Ce recueil de recettes paraît dans les moments où l'Auberge de l'Ill se prépare à fêter son centenaire en même temps que les cent ans d'exploitation par la même famille. Ces trois événements, simultanés, se trouvent-ils conjugués d'une manière purement fortuite ou sont-ils comme nécessairement liés entre eux ? Pour étudier le phénomène « Auberge de l'Ill », envisageons-le sous les angles successifs d'un climat, d'un site et de deux volontés.

*
* *

L'art, quelle que soit sa forme, fleurit, comme par surcroît et comme une récompense, là où la vie palpite en surabondance.

Faut-il s'étonner qu'entre Vosges et Rhin tant de villes, de bourgs et de villages, où l'esprit industrieux est source d'opulence, constituent autant d'expositions d'art en plein air, dans lesquelles les populations se reconnaissent et s'applaudissent ? Et qu'ils ne cessent de témoigner d'un sens de créativité constamment en éveil ?

Art majeur en Alsace, et art instinctif, celui de la table et de la convivialité illustre un souci permanent d'affirmation de soi au sein de communautés ouvertes. Générosité de la terre, tendance atavique à un mieux-vivre toujours plus affiné, respect du passé à travers celui des traditions culinaires, fierté ostentatoire de ses propres acquis : l'Alsace s'est dotée au cours des deux derniers siècles d'une gastronomie aux forts accents du terroir, celle-là même que postulait un peuple dur à la peine

Printemps au bord de l'Ill, aquarelle de Jean-Pierre Haeberlin (1982).

et prompt à la joie. Ici plus qu'ailleurs peut-être, l'art de la cuisine s'affirme fait de civilisation, témoin d'une culture. Il existe un humanisme alsacien de la vigne et de la table. Aux heures sombres de son histoire, elle en a tiré source de consolation et de survie ; aux heures fastes, elle a su s'en enchanter elle-même et enchanter ses hôtes. L'Alsacien a conscience qu'il ne serait plus lui-même s'il se coupait de ses traditions et singulièrement de celle-là. A la charnière de deux cultures et de deux époques, elles continuent de l'inspirer.

Mais le monde, à l'entour, change. Placée au cœur du Marché commun, région de passage, carrefour européen, l'Alsace fait face à grand ahan aux forces nouvelles qui la sollicitent. Elle s'adapte ; et dans certains domaines, elle s'attache à prévoir ce que demain lui réserve, afin de mieux maîtriser ce que sera le choc à venir.

C'est ainsi que la gastronomie alsacienne, depuis quelques années, a pris conscience de la nécessité qui s'imposait à elle de faire un pas en avant, d'évoluer. Évoluant, non seulement elle s'adapte aux nécessités nouvelles, mais encore elle prouve qu'elle est bien une cuisine majeure, authentique, puisque, création continue, elle s'amende sans rien perdre de sa spécificité.

Elle évolue non pas en se coupant de sa tradition, mais en se dotant de quelques « frissons nouveaux », en enrichissant son tronc familier de greffons venus d'ailleurs qui lui confèrent ampleur et jouvence.

S'adapter aux exigences nouvelles d'un public cosmopolite, élargir dans ce domaine la dimension alsacienne à la mesure de la dimension de l'Europe, faire rayonner au maximum le génie du terroir, afin, en définitive, de mieux rester elle-même : telle est la voie dans laquelle les responsables de la gastronomie alsacienne se sont engagés.

Prolégomènes ? Oui sans doute, mais donnant accès de plain-pied au cœur du sujet, car cette discipline professionnelle, il y a longtemps que l'Auberge de l'Ill se l'est imposée. Trente ans, et avec quel succès !

*
* *

Les cartes géographiques, parfois, connaissent des déficiences. Illhaeusern est bien plus important que ne le laisse supposer ce petit point en lequel elles réduisent un village de 500 habitants sur le manteau d'arlequin de la plaine d'Alsace. Le poids d'une commune dans la balance de la réputation n'est pas que celui de sa démographie. Illhaeusern jouit du prestige s'attachant à une capitale. Une juste appréciation des choses exigerait que ce nom fût porté sur la carte en caractères autres que confidentiels. Car tout est relatif, et, vu à travers le prisme d'un esthète de la table, Illhaeusern est un symbole, un haut lieu

9

Il n'est pas Koulens!

Vive la France
(et la Matelote
d'Illhausern)

21 Mai 1919

Hansi

Hommage de Hansi à la matelote d'Illhaeusern dédié à F. Haeberlin (1919).

de l'art culinaire. D'aucuns ne craignent pas d'affirmer : « le » haut lieu.

Qui ne connaît le site ne peut connaître la plante, affirme le proverbe. Illhaeusern ? Traduisons : les maisons, ou les demeures, sur l'Ill. L'Ill a donné son nom à la province dont elle féconde la terre, avant d'aller plus au nord grossir le Rhin. Le village, lui aussi, s'est attaché le nom de la rivière parce qu'il se baigne en elle, parce qu'il en est en quelque sorte issu, parce qu'il vit (ou vivait) par elle. Une eau deux fois baptismale. Un petit village de pêcheurs au cœur de la plaine, au milieu des champs de choux et de maïs, qui, depuis des temps immémoriaux, tire une large part de sa subsistance d'un affluent débonnaire et fidèle, riche en tanches, carpes, barbeaux, truites, anguilles, brochets et gent frétillante. Un lambeau parmi d'autres de la fruste mais toujours jeune Alsace.

C'est sur ces bords de l'Ill qu'à la fin du siècle dernier, en 1882, la famille Haeberlin, outre qu'elle se livrait à la pêche et cultivait quelques arpents, tenait une guinguette, à l'enseigne de « L'Arbre

Vert ». Établissement modeste, qui proposait à sa pratique, les dimanches surtout, les mets du pays accommodés à la mode du pays. Beaucoup de poisson, en friture ou matelote ; mais aussi, à la saison, du gibier, poil ou plume, venu des tirés proches. De la choucroute, des grenouilles. Le vin d'Alsace, sylvaner ou riesling, coulait des carafes ou des cruches, sans qu'on soit regardant. On était entre soi, à la bonne franquette. Des bourgeois de Colmar ou de Sélestat venaient parfois se mêler aux villageois des environs, assurés de trouver là une cuisine aimable, sans sophistication, au milieu de commensaux fort sociables. Ils rangeaient leurs calèches près des barques amarrées. En entrant, ils criaient, selon la coutume : « Morga » ou « Gsundheit ». C'était là leur sésame et ils étaient adoptés. Jean-Jacques Waltz, dit Hansi, patriote et épicurien, y venait souvent. Il s'y savait en harmonie de sentiments avec Fritz Haeberlin dont il appréciait la simplicité et le franc-parler. Il y retrouvait également des viticulteurs, ses amis, descendus des collines pour chercher des osiers dans la plaine et qui en profitaient pour déguster un brochet ou une tanche apprêtés par Mme Haeberlin.

Le caractère familial de la cuisine, la qualité de la joie communicative, l'expression haute en couleur des sentiments transformaient ces agapes en banquet fraternel. Des correspondances au sens baudelairien du terme (mais qui songeait à Baudelaire ?) s'établissaient entre la bonne humeur de cette population épanouie, la simplicité virgilienne du site, la légèreté de l'air, le bruissement des eaux contre les piliers du pont de bois, les accents savoureusement gaillards du dialecte haut-rhinois. Une convivialité de bon aloi naissait spontanément, comme par surcroît. On se trouvait bien, l'âme sereine, confiant dans la probité

L'Auberge de l'Ill en 1906.

candide de la famille Haeberlin. Il en fut ainsi toutes les saisons que Dieu fit, pendant soixante ans.

Entre-temps notre siècle était né. La même rivière indolente coulait les mêmes eaux dans le décor inchangé. Seules, après la Première Guerre mondiale, les voitures automobiles avaient relayé les calèches sous les frondaisons de l'Arbre Vert. Rien n'était changé, sinon qu'au fondateur avait succédé le fils, que Paul et Jean-Pierre étaient nés, et que la malignité des hommes allait susciter le grand affrontement de 1940.

Le 15 juin 1940, dans ce glacis militaire qu'était devenue la région, le génie faisait sauter le pont et l'Arbre Vert, le saule pleureur, avec lui. En janvier 1945, Illhaeusern, situé sur un front longtemps fluctuant, était sinistré lors des ultimes combats qui allaient déboucher sur la victoire de Colmar. C'était la fin tragique d'une époque : s'ouvrait l'époque de la reconstruction.

La famille Haeberlin allait-elle, pour rester fidèle à l'esprit des lieux, relever à Illhaeusern même, petit village à moitié écroulé, les ruines de l'Arbre Vert ? Fallait-il, au contraire, cédant à un souci d'ambition commerciale, transférer l'entreprise dans une commune proche demeurée intacte et de tout temps favorisée par un meilleur courant touristique ? La famille opta pour la première solution et c'est ainsi que commença l'impensable aventure et l'incroyable mutation.

Aujourd'hui, selon des guides, « l'Auberge de l'Ill » — nouveau nom — est signalée en rouge par trois étoiles ou quatre toques. Le nec plus ultra. Elle est au zénith de la renommée. On la vante à Paris, ce qui est bien ; et à Lyon, ce qui est mieux. Le soleil ne se couche sur nul continent où son nom n'éveille quelque résonance. Elle occupe 45 personnes et sa brigade se compose de 15 compagnons qui sont autant de futurs chefs promis à la renommée. La qualité du service confirme la grande maison. Le décor est luxueux, mais d'un luxe relevant du meilleur goût. Il faut retenir sa table longtemps à l'avance. Chaque jour 200 convives — la capacité des deux salles à manger — partagent, tout en le gardant entier, le plaisir total qu'ils y trouvent, fait d'émotions gustuelles éprouvées dans un cadre exceptionnel de beauté champêtre. Têtes couronnées, fines fourchettes notoirement connues du gotha des gastronomes, grands noms du monde des arts et des lettres, diplomates en quête de saines diversions, invités des repas d'affaires de haute classe, connaisseurs habitués des lieux ou néophytes conquis d'avance s'y coudoient pour sacrifier côte à côte à Comus, dieu raffiné des festins.

Comment cette métamorphose et pourquoi cette consécration ? Il convient qu'ici deux portraits soient esquissés, ceux de deux frères, Paul et Jean-Pierre Haeberlin, créateurs et mainteneurs de cette gloire.

Paul Haeberlin est à pleine mesure, et exclusivement, enfant d'Illhaeusern. Il y a ses racines, alsaciennes et campagnardes. Il est jusque dans ses fibres les plus secrètes fils de ce cadre grave et charmeur. Enfant, entre deux coups de pied dans un ballon, il élevait des têtards dans les anses de l'Ill. Pêcheur en herbe parmi des pêcheurs de métier, il exécutait les gestes qu'il possédait de savoir atavique pour ferrer la truite ou mouiller des nasses. Il avait aussi appris à récolter les choux, à couper la choucroute, à rabattre le gibier, à tailler la vigne. Sentimental ? Oui, mais à sa manière. Sans grandiloquence. Avec une sorte de pudeur. Il regardait l'eau de l'Ill comme un flux nourricier ; le saule qui justifiait l'enseigne comme une conscience végétale, méditative et solennelle ; la terre comme un creuset sacré où les effluves du vent autant que la peine des hommes fécondaient d'immatérielles tendresses.

Certains sites révèlent d'un seul coup leur fascinante beauté. Leur emprise est subite et intense, jusqu'à ce que le temps l'estompe et l'efface. D'autres, à l'âme moins apparente, ne conquièrent qu'après une longue et complice intimité. Mais alors la possession est totale et définitive. Illhaeusern est l'un de ceux-ci. Ce village ne semble en rien prédestiné à faire parler de lui. Son passé n'est pas lié à des fastes militaires et nul grand homme n'y a sa statue. Un village parmi d'autres, à l'échelle humaine, sous un ciel sans barrière, dont la vie est scandée par le cours des saisons. Mais tel qu'il est, avec son limon primitif, ses eaux, sa lumière, ses gens, Paul Haeberlin l'aimait : c'était sa terre maternelle. Elle était entrée en lui par toutes les fissures secrètes de son être pour réaliser une sorte de fusion charnelle dont plus plus tard seulement il décèlerait la part revenant à l'esprit.

La cuisine de sa mère et de tante Henriette était un de ses univers. Il y voyait comme un prolongement nécessaire de tout ce qui faisait ses étonnements quotidiens. Il en connaissait tous les rites : la pâte que l'on pétrit d'une main experte, le poisson que l'on vide, les sauces que l'on goûte d'un air entendu. Aux murs, les casseroles de cuivre flamboyaient. Paul Haeberlin s'épanouissait dans ce monde très pur en même temps que très humble, dont se dégageait une sorte de grandeur bien digne de susciter une vocation.

C'est donc tout naturellement, sans hiatus, qu'il fit son apprentissage de cuisinier. En fait, le métier était déjà en lui : il l'avait épousé. Et puis il avait des idées. Mais il était nécessaire qu'il systématisât ses connaissances, qu'il apprît ce que d'autres avant lui avaient mis au point, des principes, une terminologie, qu'il fît sien le grand héritage. Il s'y prêta de bonne grâce. Prévoyait-il qu'un jour il connaîtrait la célébrité ? Non, sans doute. Le seul orgueil qui l'anime est celui qui le pousse à devenir un parfait artisan capable d'exprimer sa propre sensibilité dans un domaine où la frontière est floue entre le métier et l'art. Mais cet idéal, chez lui, quoique vif, demeurait informulé.

Il alla frapper à la porte du restaurant « la Pépinière » à Ribeauvillé. Cet établissement jouissait d'une large renommée. Paul y apprit ses classiques. Son maître, Édouard Weber, ancien cuisinier à la cour des tsars, puis chef à la cour royale de Grèce, ne badinait pas avec les traditions. Il en savait la richesse et la valeur éducative. Alsacien lui-même, il puisait abondamment dans l'ample répertoire culinaire régional. Mais Édouard Weber tenait aussi pour vrai que tout pédantisme, tout repliement délibéré sur un monde fermé étaient ennemis de l'art, qui vit de liberté. Conscient des dons très tôt révélés par son élève, il lui laissait souvent les coudées franches. Paul Haeberlin ne boudait pas son plaisir. Tantôt il donnait un coup de pouce à l'accompagnement habituel d'un rôti, tantôt il modifiait la composition d'une sauce ou en inventait une nouvelle. A chaque fois son goût se révélait sûr et sûre aussi sa main. Il y apprit notamment à travailler la truffe, à tirer de ce « diamant noir » les harmoniques gustuels qu'il ne libère que pour la récompense de mains expertes. Paul fut le dernier élève d'Édouard Weber qui voyait en lui son fils spirituel, son continuateur. Depuis, l'élève a dépassé le maître, mais il lui a voué un culte reconnaissant qui dure encore.

Ainsi, tout en affirmant son talent dans l'excellence d'une cuisine à caractère régional dont les ressources sont grandes, Paul lui assignait des dimensions nouvelles, et démontrait dans quelle mesure l'esprit d'invention peut rendre plus fécondes les pratiques traditionnelles.

Mais encore fallait-il qu'il affinât ses connaissances au contact de grands chefs formés à d'autres écoles et au service d'une autre clientèle. C'est à Paris, à la « Rôtisserie périgourdine », tenue par les frères Rouzier, qu'il enrichit sa palette, qu'il apprit de nouveaux mariages de goûts et de sapidités, qu'il pénétra l'univers des vins, qu'au contact d'un public différent il sentit davantage l'étroitesse de la relation existant entre l'artiste et son public, dans un échange constant, secret, mais puissant. Il y apprit aussi que la cuisine est un art non fixé, sans cesse perfectible, ouvert aux améliorations anonymes comme aux découvertes fulgurantes, et que peuvent s'y tailler un empire ceux qui s'affirment créateurs.

Dès lors, atouts en main, sans doute aurait-il pu faire partie de la grande diaspora des jeunes cuisiniers alsaciens, se fixer dans d'autres villes de France gastronomiquement célèbres, dans d'autres capitales étrangères, s'y faire un nom, prospérer. Il ne l'a pas désiré. Il a préféré revenir à Illhaeusern où l'attendaient sa mère et sa tante, où l'attendait aussi un restaurant tout neuf à promouvoir. Il a préféré revenir, enfant fidèle, aux lieux dont l'esprit l'imprégnait jusqu'aux moelles, et dont il n'avait cessé, par les antennes de sa sensibilité native, de capter les confidentiels messages.

Illhaeusern partiellement détruit en 1945, l'Arbre Vert rayé de la carte, la famille Haeberlin avait rouvert le restaurant dans une baraque provisoire. La tante Henriette y préparait la matelote et la maman, se réservant les domaines où elle excellait, faisait la pâtisserie et les nouilles maison.

Paul revint, qui ne tarda pas à marquer de sa personnalité le nouvel établissement. La cuisine de l'Arbre Vert avait été une cuisine féminine et familiale : à l'Auberge de l'Ill, elle devint une cuisine virile, celle d'un homme aux horizons professionnels élargis ; une cuisine à l'échelle d'un restaurant, mettant à profit toutes les commodités et facilités que la technique évoluée proposait à cette nouvelle génération de chefs. C'est à ce moment qu'il mit au point, en tenant compte des ressources locales, des goûts du public, de son expérience et des données de son inspiration, un certain nombre de plats qui figurent encore aujourd'hui sur sa carte et dont il tire fierté.

La confiance du public sanctionna tant de talent et d'application. La réputation de l'Auberge de l'Ill installée dans de nouveaux murs dépassa les frontières de la province. En 1952, le guide Michelin lui décernait sa première étoile. Une deuxième en 1957. Une troisième en 1967. C'était la consécration. En 1980, le président Giscard d'Estaing en personne remettait aux deux frères Haeberlin la croix de chevalier de l'Ordre national du Mérite, eu égard aux services qu'ils avaient rendus à un art si français.

Devenu un des tout grands de la cuisine nationale, Paul Haeberlin est resté très humble. Le succès n'a altéré ni sa discrétion ni son bon sourire. Il n'a jamais été l'homme de la foule et ne cherche pas à paraître. La conscience qu'il a de réussir dans son art suffit à combler ses exigences. Son royaume se limite aux lieux où le public n'a pas accès : près des fourneaux qu'il surveille d'un œil infaillible, près des chambres froides. Son orgueil secret, c'est d'être le magicien qui part d'éléments bruts à l'avenir dérisoire mais qui en révèle l'âme, afin qu'enrichis par ses soins ils laissent dans les mémoires d'impérissables souvenirs. Au-delà, la satisfaction de sa clientèle est sa récompense.

Son succès, c'est aussi pour lui une manière de proclamer l'efficacité des vertus s'attachant à sa qualité de cuisinier alsacien. Il ne cherchera jamais à effacer l'empreinte du sceau dont ses origines l'avaient marqué. Il est resté fidèle à l'esprit de la cuisine régionale, persuadé qu'elle est féconde en inépuisables possibilités pour qui sait l'enrichir de trouvailles et la plier au gré d'une inspiration raisonnée. Et c'est bien parce qu'il a su doter cette cuisine régionale de facettes nouvelles qu'il en a fait, avant d'autres, une cuisine à dimension universelle incontestée.

*
* *

Mais dans cet essor, dans cette promotion de l'Auberge de l'Ill, dont Paul est le pivot, une part égale revient à son frère Jean-Pierre. Dans un domaine différent, il est vrai. En fait, les destinées de l'établissement reposent entre les mains d'un Janus aux deux visages. A l'un la haute main sur les fourneaux, à l'autre le soin de la salle et des relations publiques, dans une entente fraternelle sans faille.

Jean-Pierre ? Autant son frère est massif, posé, détendu, autant lui est léger, mobile, sans cesse en mouvement. Autant Paul est économe de son parler, autant Jean-Pierre est disert et volubile. L'un est ce que l'autre n'est pas : admirable et féconde complémentarité qui permet de

15

faire face en même temps à tous les besoins et de trouver pour chaque instant, dans une sorte d'ubiquité, l'homme qu'il faut à la place qui lui convient.

Et puis, autant Paul est tourné vers l'aspect positif des réalités, autant Jean-Pierre sait s'en évader pour en extraire la « substantifique moelle » et recréer un monde à lui. Il est né artiste. Héritier d'une lignée de paysans, pourquoi artiste ? Et, précisément, pourquoi pas artiste ? Pourquoi l'armée des chromosomes qui courent obscurément dans les artères d'un paysan attentif au spectacle permanent des beautés de la nature ne comporterait-elle pas un contingent consacré à l'art et susceptible un jour de faire surface à travers un descendant ?

Lorsqu'il revint de la guerre — qu'il subit sous l'uniforme allemand comme tant d'Alsaciens incorporés de force, alors que Paul s'était engagé dans l'armée française — il prit son inscription à l'école des beaux-arts de Strasbourg. Son dessein était de devenir peintre et architecte. Peintre par dilection, architecte pour gagner sa vie. Son temps d'école passé, il entra au bureau d'architecture de son oncle : sa vie paraissait toute tracée.

C'était compter sans la sagesse du père, Frédéric Haeberlin. Il connaissait bien ses deux fils, leurs possibilités et leurs limites. Il dit à Jean-Pierre : « Veux-tu prendre avec ton frère les destinées du restaurant, chacun selon vos aptitudes ? » Jean-Pierre répondit oui.

Il répondit oui et se rendit à Paris pour apprendre ce qu'un directeur de restaurant doit savoir : mener le personnel, accueillir le client, susciter et entretenir les contacts, aménager une salle, avoir la haute main sur les comptes, faire face sur-le-champ et avec le sourire aux mille exigences quotidiennes d'une responsabilité à chaque seconde mise à contribution. Et depuis, tenue par deux mains à la fois fermes et souples, par cette action partagée mais unie au service d'un idéal commun de constant progrès dans une voie difficile, l'Auberge de l'Ill n'a cessé de prospérer. Trente ans ont fait d'elle une des maisons les plus en vue de France. Jean-Pierre Haeberlin est président de « Traditions & Qualité », société difficile d'accès, qui groupe l'élite internationale du monde de la restauration. Il est aussi maire d'Illhaeusern, charge que son aïeul avait déjà remplie un siècle plus tôt. Il est à l'origine du jumelage de sa commune avec Collonges-au-Mont-d'Or, autre haut lieu national de la gastronomie ; il est vice-président du club Prosper Montagné-Alsace, membre de nombreuses autres confréries vineuses ou « de gueule ». Il est aussi, en qualité de peintre, membre de la section « Beaux-Arts » de l'Académie d'Alsace.

Architecte, il n'a jamais posé règle ni crayon. Lorsqu'il s'est agi de rebâtir en dur l'Auberge en 1950, l'idée de transplanter de Colmar une vieille bâtisse datant de 1578, avec colombages, toits pointus, balcons de bois, est de lui. Les aménagements constants qui ont été pratiqués, les apports successifs, les transformations sont inspirés par lui. Le parc en terrasses qu'ombragent les saules pleureurs longeant la rivière et qui prolonge les salles à manger, c'est encore lui qui l'a pensé.

Pages suivantes : le jardin de l'Auberge au bord de l'Ill.

Paul, Marc et Jean-Pierre Haeberlin.

Tout le mobilier, mélange harmonieux de styles anciens, vieux poêles alsaciens, crédences Renaissance, c'est lui qui, patiemment, l'a réuni, après des recherches obstinées, et qui a tiré un effet d'art de cette juxtaposition.

Il n'est pas jusqu'à la place occupée par les cuisines et le garde-manger qui n'ait fait de sa part l'objet d'études attentives en vue d'économiser les pas des cuisiniers, sans amputer toutefois ni le salon ni la salle à manger.

Au fil des jours, il a tout passé au crible de son sens de l'harmonie : la porcelaine noblement blanche marquée de quelques feuilles de saule, les couverts d'argent, sa collection de vieille faïence de Strasbourg, la verrerie de cristal frappé du double H fraternel, les sièges de style Empire, le tapis de sol vert pré...

Et puis les tableaux. Pas d'art de seconde main. Des Cottavoz, des Antès, des Roger Mühl, beaucoup de Roger Mühl, à qui Jean-Pierre est très lié. Tous des originaux. À l'entrée déjà, le coq de Lalique, trophée précieux, annonce que dans cette maison tout est de haute venue. Lui-même, quand il en a le loisir, les mardis de fermeture, suit le cours de l'Ill tantôt majestueuse, tantôt alanguie, tantôt frondeuse, se pénètre de la lumière ambiante, fixe d'un crayon élégiaque et sans retouches — que l'aquarelle viendra rehausser — tel aspect fugitif du paysage

17

éternellement semblable et éternellement mouvant. Les meilleurs effets serviront à illustrer la première page de l'élégante carte, elle-même œuvre d'art...

Habile à transposer dans un autre domaine son sens des nuances dans l'harmonie, Jean-Pierre a poussé à l'extrême l'éducation de son palais, en matière de connaissance des vins. A lui la redoutable mais exaltante responsabilité de la cave, en collaboration avec ses deux sommeliers. Aussi la cave de l'Auberge de l'Ill est-elle prestigieuse. Sous ses voûtes reposent, jusqu'à ce que le choix des gourmets vienne les tirer de leur ennoblissante léthargie, les flacons millésimés les plus vantés de France, dont les noms sonnent comme autant de victoires. Lorsqu'il s'agit d'éclairer les clients indécis au moment du mariage des mets et des liqueurs, Jean-Pierre sait trouver dans sa culture vinique les accents qu'il faut pour entraîner les convictions.

Tel est Jean-Pierre. A l'Auberge il est omniprésent, chargé d'électricité, inlassablement multiplié. Il voit tout, enregistre tout, peut parler de tout, à tous. Il entend ce qui se chuchote, devine ce qui se dissimule. Il a l'œil mobile de Jouvet dans Carnet de bal et ne s'étonne de rien. Il a l'abord direct, la réponse prompte, l'art d'éluder tout en répondant ; une expérience du monde à toute épreuve. Il est sans illusion sur l'humanité et pourtant optimiste et serviable. Optimiste et serviable parce que le privilège de l'artiste c'est d'éclater, parce qu'il a trouvé dans l'exercice de ses activités, en tandem avec son frère, l'accomplissement de sa personne et de ses dons, ainsi que la sanction de la popularité.

Ainsi, à l'aise dans une réputation qui leur est commune, Paul et Jean-Pierre se font pour leur public ravi échansons d'un plaisir sensuel subtil, où arômes, sons et coloris se confondent en une puissante et délicate symphonie. Ensemble ils cueillent les plus sublimes expressions que la nature munificente a placées dans la truffe, le saumon, le chevreuil, dans la topaze d'un riesling de grande année ou le rubis d'un bourgogne de haute venue.

Mais désormais, ainsi va la vie, il faut adjoindre à ces deux noms un troisième, encore un Haeberlin, Marc, 28 ans, fils de Paul.

Marc respira dès son berceau l'ambiance du restaurant familial, et plus précisément de la cuisine. Son père n'eut pas de mal à bouturer dans un sol qui s'y prêtait cette plante avide de s'épanouir au feu des rôtissoires. Entouré de personnages fortement typés, Marc devint l'enfant de la brigade et de l'équipe. Son chez-lui, c'était la terrasse, inondée de soleil ou blanche de neige, avec l'Ill familière, cette artère où bat le pouls d'Illhaeusern. C'était aussi la vaste salle à manger où des gens très posés — encore qu'infiniment divers —, accueillis par son oncle, venaient avec des airs épanouis apprécier les mets que son père avait pensés et échafaudés pour eux. C'était le ballet silencieux des maîtres d'hôtel, une succession de tableaux mouvants et de natures mortes. Les flammes des bougies, servant à mirer les vieux bordeaux à décanter, éclairaient mystérieusement les cuivres, l'argenterie, la porcelaine et leur donnaient la vie...

18

Les fourneaux constituaient pour Marc le centre, le cerveau de cet univers. Les toques des compagnons rehaussaient les hommes comme elles conféraient un supplément de dignité à leur art. Tous les bruits de cuisine lui étaient familiers, des prudents démarrages matinaux aux coups de feu de midi et de vingt heures. Il était le moineau dans la basse-cour, confiant, mutin, espiègle. Mais pas inutile. Il s'y employait les jeudis, s'initiant tout naturellement, comme autrefois son père, aux humbles travaux élémentaires par où doit passer la réussite des grandes œuvres : éplucher, laver, émincer...

L'énigme individuelle qui pèse sur chaque adolescent, pour lui, fut tôt levée : il sera cuisinier. A l'école hôtelière de Strasbourg, il apprend l'importance et la fécondité des disciplines professionnelles, au contact de maîtres à la pédagogie éprouvée, sans pour autant négliger le rôle du tempérament personnel. A sa sortie, il met ses connaissances à l'épreuve chez Gietz, restaurateur à Ettlingen (R.F.A.), où il se perfectionne, en marge, dans le maniement de la langue allemande. Et puis c'est l'envol : chez Bocuse à Collonges-au-Mont-d'Or, chez les frères Troisgros à Roanne, chez Lasserre à Paris, où il noue des gerbes fastes d'élans gustuels et de savoir-faire. Son service militaire l'envoie à Paris, dans sa spécialité, au ministère de la Défense nationale, où il sera le cuisinier attitré de M. Yvon Bourges, alors ministre. Puis il effectue un stage chez Lenôtre, à Paris... où il connaît Martine, qui deviendra son épouse. Ainsi formé, modelé, poli au contact de différents maîtres, mais ayant assimilé toutes ses acquisitions sans rien perdre de son originalité personnelle, il revient, en 1974, à Illhaeusern. Il y retrouve son monde : père, mère, grand-mère, oncle, sœur, les anciens de la cuisine et du service, attachés, sentimentalement surtout, à l'Auberge de l'Ill. Non pas en fils de famille, mais en ami de tous.

Les fées qui s'étaient penchées sur son berceau avaient également voulu qu'aucun conflit de générations n'opposât Marc à son père. Marc a des idées. Mais, docile, il s'en ouvre à celui qu'il admire, qui lui donne l'exeat et l'encourage, ou lui montre la témérité de ses approches. Joutes familiales d'un haut niveau professionnel, qui, loin de séparer père et fils, les rendent encore plus proches, plus unis, plus confiants. Au demeurant, Marc apporte au sein de la brigade un élément de gaieté juvénile, d'esprit primesautier, qui fait merveille dans les moments de pointe où les nerfs sont tendus.

Jeune poulain, il court de race. Lorsque, en juillet 1979, le président Giscard d'Estaing vint en Alsace, ce fut à l'Auberge de l'Ill qu'incomba le soin de préparer le banquet de Mulhouse à l'issue duquel les insignes de chevaliers de l'ordre national du Mérite devaient être remis aux deux frères Haeberlin. Le « feuilleté de pigeonneau aux choux et aux truffes » qui marqua ce banquet était une première, et cette trouvaille était signée Marc. Depuis, ce plat hautement élaboré est l'un des plus demandés sur la carte de l'Auberge.

Marc évolue parfaitement intégré au cercle de famille qui l'entoure. Son père et son oncle bien sûr. Puis sa mère, Marie, qui est l'image même de l'effacement, tout en apportant partout une marque de

19

féminité. Marie a la main verte et assure la décoration florale de la Maison, en même temps qu'avec Martine elle assume certaines responsabilités comptables. Et puis sa grand-mère, Marthe, l'aïeule chargée d'ans, qui fut autrefois l'âme de l'Auberge, dont les avis restent précieux et qui assiste, comblée, aux ébats de son arrière-petite-fille, Laetitia : quatre générations d'Haeberlin sous le même toit. Il y retrouve aussi sa sœur cadette, Danièle, élève à son tour de l'école hôtelière, car bon sang ne saurait mentir.

Dans une maison aussi traditionaliste, le personnel fait aussi, en quelque sorte, partie de la famille. Témoin, le chef de cuisine, Daniel Rederstorff, qui fut le premier apprenti formé par Paul et qui est revenu à ses sources après une escale chez Point, à Vienne, une autre à bord du France. Témoins, Madeleine, trente-cinq ans de service à l'Auberge, Jeanne, trente-cinq ans de service, Marie-Rose, Madeleinala, Jean, vingt ans de service. Et tous les autres, moins anciens certes, fiers de contribuer, chacun en ce qui le concerne, au rayonnement de « leur » Maison. Tels patrons, tel personnel. Pas de heurts, chacun connaissant son métier, et étant conscient de l'importance d'une harmonie sans faille au sein d'une collectivité dont 200 clients clairvoyants sont appelés chaque jour à juger de la cohésion et du talent.

*
* *

Climat exceptionnel donc, pour une entreprise exceptionnelle. Or, il n'y a pas de miracle dans ce domaine, et le succès a sa logique. Le succès de l'Auberge de l'Ill s'éclaire à la lumière d'une conjonction heureuse de plusieurs données.

D'abord, la préexistence d'un vieux fonds familial de respect du travail bien et honnêtement accompli. Puis les changements de comportements qui ont marqué l'après-guerre : une mobilité croissante des masses autant que des élites, nanties de moyens financiers accrus ; un esprit sous-jacent, dans le grand public, de revanche après une longue période de privations alimentaires ; une prétendue libération de la femme qui tendait à faire considérer comme aliénant son rôle de vestale au foyer... Tout concourait à donner à la restauration un essor inégalé, et, partant, à parer les cuisiniers de métier d'une aura de sympathie admirative.

Les frères Haeberlin arrivèrent à point nommé, avec leur attachement au terroir, leurs connaissances professionnelles, leur enthousiasme juvénile, pour que l'Auberge de l'Ill bénéficie, de la part d'un public tout acquis, de l'engouement qui mène à la notoriété.

Et puis, un autre facteur allait intervenir. Situé en région frontalière, devenue région de brassage et cœur politique de l'Europe en devenir, cet établissement de haut de gamme se trouvait tout naturelle-

Jean-Paul Sartre.

Valéry Giscard d'Estaing.

Juliana, Reine de Hollande

Elizabeth,
Reine-Mère d'Angleterre

Montserrat Caballé.

Orson Welles.

Jean, Grand Duc de Luxembourg.

Mireille Mathieu.

San-Antonio.

Pierre Elliott Trudeau
Premier Ministre du Canada

Georges Pompidou

Marlène Dietrich

Alexis Weissenberg

Quelques signatures extraites du livre d'or de l'Auberge de l'Ill.

ment désigné pour accueillir diplomates, hommes d'affaires, grands du spectacle, que leur mission situe nécessairement à l'origine de courants touristiques potentiels importants. Sans compter l'opportune ouverture de nos voisins suisses et allemands à l'excellence de la cuisine française : ils ne tardèrent pas à prendre conscience, dès les années cinquante, de leur bonne fortune de pouvoir, à deux pas de chez eux, s'instruire culinairement tout en faisant, par une recherche intellectuelle appliquée, de la gourmandise une vertu.

Alors, que surgissent çà et là, puis s'éteignent, des modes passagères ; que des restrictions de moyens financiers contraignent certaines couches de gastronomes à moins « manger au-dehors » ; que des abstracteurs de quintessence glosent à l'infini sur l'irruption de l'évolutif dans l'immuable ; qu'un certain esprit de vedettariat nuise à un art qui s'élabore dans la discrétion de la pénombre : l'Auberge de l'Ill n'en a cure. Elle continue imperturbablement dans la voie qu'elle s'est tracée : proposer dans un décor somptueux une cuisine légère, extraordinairement raffinée, à la qualité de laquelle procèdent tout ensemble la fidélité à des canons hors desquels il n'y a qu'errance et une recherche sereine autant qu'obstinée, parfois pathétique, de création, dans les limites mêmes de cette fidélité.

Il n'est pas d'autre secret. Paul, Jean-Pierre et Marc Haeberlin ne se posent pas de questions quant à l'avenir. Sûrs d'eux-mêmes et de leurs atouts, ils professent que leur art, tel qu'ils le conçoivent et le servent, ralliera toujours une clientèle convaincue qui lui assurera la pérennité. Chacune des recettes du présent recueil constitue en soi un aboutissement. Les mariages qu'elles consacrent sont si réussis que leur découverte semble s'inscrire dans la fatalité de l'histoire des hommes à table. Mais elles constituent aussi autant de pistes de réflexion à l'intention d'autres cuisiniers chercheurs ou d'amateurs éclairés s'attachant à traquer la perfection.

Et si, grâce à elles, il était donné à un nombre toujours accru de privilégiés de fixer, après les avoir captés, les messages d'un univers gustuel insondablement riche de secrets encore informulés, de beaux jours resteraient en effet promis, en notre temps de mutations, à la grande cuisine, signe de haute culture.

De sorte que cet ouvrage, grande parade d'œuvres élaborées se révélant être autant de fêtes de l'esprit, apparaît comme un message d'optimisme, comme un défi lancé à l'âpreté de la fin de siècle. Ces Recettes de Paul Haeberlin appartiennent au monde des gourmets et gourmands, certes ; elles appartiennent aussi au monde plus vaste de ceux qui entendent opposer aux énigmes des lendemains la sécurité des certitudes et au vain tumulte la sérénité des plaisirs de bon aloi.

P.-L. MARCHAL

Membre d'honneur
du club Prosper Montagné-Alsace.

LES RECETTES

POTAGES

POTAGE AUX GRENOUILLES
GRIESS SOUPE A L'ALSACIENNE
BORTSCH
VELOUTÉ DE TOMATES AU POIVRE VERT
CONSOMMÉ DE FAISAN AUX QUENELLES

POTAGE AUX GRENOUILLES

Ingrédients pour 6 personnes :

1 botte de cresson
36 cuisses de grenouilles
1 litre de fond de volaille
1/4 de litre de crème
1/4 de litre de riesling
3 jaunes d'œufs
4 échalotes, sel, poivre
100 g de beurre
1 cuillerée à soupe de beurre manié
1 cuillerée à soupe de pluches de cerfeuil

Faire fondre au beurre les échalotes hachées, ajouter les cuisses de grenouilles, mouiller avec le riesling et le fond de volaille, saler, poivrer et laisser cuire 10 minutes. Sortir les cuisses de grenouilles et les décortiquer.

Dans une casserole faire fondre un morceau de beurre, mettre le cresson ciselé, laisser mijoter 5 minutes et mouiller avec la cuisson des grenouilles. Ajouter le beurre manié et laisser bouillir durant un bon quart d'heure. Passer le tout au mixer et ensuite au chinois.

Faire une liaison avec la crème et les jaunes d'œufs, l'ajouter au potage en fouettant. Surtout ne plus faire bouillir. Rectifier l'assaisonnement. Dans la soupière, mettre les cuisses de grenouilles, verser le potage et parsemer le dessus de pluches de cerfeuil.

GRIESS SOUPE A L'ALSACIENNE

(potage de semoule de blé)
250 g de semoule de blé dur
150 g de beurre
150 g de carottes
100 g de céleri
150 g de poireaux
100 g d'oignons
80 g de lard fumé
3 litres de fond blanc de volaille ou bouillon concentré de volaille (ou eau)
1 tasse de crème
Sel

Faire roussir la semoule dans un peu de beurre, à feu doux.

La semoule ayant une belle couleur dorée, ajouter le lard fumé coupé en tout petits dés, ainsi que les légumes (poireaux, carottes, oignons, céleri) coupés en brunoise. Faire revenir encore quelques instants, puis mouiller avec le fond blanc ou le bouillon (ou l'eau), saler et laisser cuire pendant 1 heure.

Rectifier l'assaisonnement. Ajouter la tasse de crème.

BORTSCH

Ingrédients pour 10 personnes :

1 beau canard
700 g de viande de bœuf (pot-au-feu pas trop gras)
700 g de carottes
1 kg de poireaux
500 g de fenouil
500 g de céleri
250 g de betteraves rouges
1 bouquet garni (tige de persil, thym, laurier)
Poivre en grains
Sel
1 oignon piqué de 2 clous de girofle
2 gousses d'ail
2 tomates fraîches (coupées)
Un peu d'huile
1/4 de litre de crème aigre

Dans une grande casserole, faire revenir légèrement les abattis de canard dans l'huile. Mouiller avec 3 litres d'eau, ajouter le bœuf comme pour un consommé. Dorer au four très chaud mais sans le cuire, le canard préalablement vidé et bridé. La cuisson proprement dite du canard se fera dans le consommé. Après le premier dégraissage du consommé, on ajoute le bouquet garni, les carottes, 1/2 céleri, 2 poireaux ficelés, 1 fenouil, 1 betterave rouge épluchée, 1 oignon piqué, les gousses d'ail, le sel et le poivre en grains ainsi que les tomates. Laisser cuire 2 heures.

Garniture du bortsch

Couper les carottes, le céleri, les poireaux et le fenouil en grosse julienne et cuire chaque légume séparément. Ajouter 1 betterave rouge (cuite).

Une fois cuits, retirer de la cuisson le canard et la viande de bœuf. Enlever la peau du canard, puis couper la chair du canard et le bœuf en gros dés. Passer le fond de cuisson à l'étamine. Rectifier l'assaisonnement. Ajouter la julienne de carottes, céleri, fenouil et poireaux, les dés de canard et le bœuf en dernier. Laisser cuire pour réchauffer. Juste avant de servir, ajouter les betteraves rouges en julienne.

Accompagner ce potage avec de la crème aigre et des petits pâtés chauds de canard.

Bortsch.

VELOUTÉ DE TOMATES
AU POIVRE VERT

Ingrédients pour 10 personnes :

250 g de poireaux
150 g d'oignons
150 g de carottes
50 g de persil
150 g de céleri
1 kg à 1,5 kg de tomates fraîches bien mûres
100 g de concentré de tomates
1 belle gousse d'ail
100 g de riz rond
40 g de tapioca
Sel, sucre
3 litres de fond blanc (veau ou volaille)
50 g de poivre vert en grains
1/2 litre de crème fraîche
200 g de beurre

Émincer grossièrement les légumes (poireaux, oignons, carottes, céleri) et faire revenir au beurre (50 g).

Ajouter ensuite les tomates lavées et coupées en 4, ainsi que le concentré de tomates et un peu de sucre.

Mouiller le tout avec le fond blanc. Saler et mettre à cuire.

Dès la première ébullition, ajouter le riz et le tapioca. Quand les légumes et le riz sont bien cuits, ajouter la gousse d'ail préalablement écrasée.

Mixer le tout et passer le velouté au chinois.

Ajouter la crème et le beurre, ainsi que les grains de poivre vert et le persil haché.

Verser dans la soupière.

CONSOMMÉ DE FAISAN
AUX QUENELLES

Ingrédients pour 10 personnes :

1 beau faisan (même vieux)
700 g de bœuf (pot-au-feu)
300 g de carottes
500 g de poireaux
300 g de céléri
300 g de tomates
1 bouquet garni (persil, thym, laurier)
2 gousses d'ail
1 oignon piqué de 3 clous de girofle
Sel, poivre
1 verre de vin blanc
3 litres 1/2 d'eau
1 œuf
1 dl de crème fraîche
Un peu de cerfeuil

Après avoir plumé, flambé et vidé le faisan, lever les 2 blancs (poitrine) qui serviront à faire les quenelles.

Saisir et dorer au four très chaud (sans cuire) la carcasse avec les cuisses et les abattis du faisan. Déglacer le récipient avec le vin blanc.

Préparer un consommé avec le bœuf et le faisan préalablement doré et 3 litres 1/2 d'eau.

Ajouter le déglaçage.

En début de cuisson, dégraisser et ajouter les légumes émincés, carottes, poireaux, céleri, tomates, le bouquet garni, l'oignon piqué et les gousses d'ail, le sel et le poivre. Laisser mijoter durant 2 heures.

QUENELLES

Passer les 2 blancs de faisan à la machine à hacher (grille très fine). Ajouter un œuf, sel, poivre. Bien travailler le tout en y incorporant 1 dl de crème fraîche. A l'aide de deux cuillères à café, faire de petites quenelles qu'on poche dans de l'eau légèrement salée.

Dès que les viandes de bœuf et de faisan sont cuites, rectifier l'assaisonnement, dégraisser et passer le consommé à l'étamine.

Mettre les petites quenelles en garniture dans la soupière et y verser le consommé. Ajouter quelques pluches de cerfeuil.

Réserver la viande pour un autre emploi.

SAUCES

SAUCE HOLLANDAISE
SAUCE MORNAY
BEURRE BLANC
SAUCE PÉRIGUEUX
SAUCE BÉARNAISE
SAUCE CHORON
SAUCE AMÉRICAINE
BEURRE DE HOMARD OU D'ÉCREVISSES
COURT-BOUILLON
GELÉE DE POISSONS
GELÉE DE VOLAILLE
CLARIFICATION
FOND DE VEAU

SAUCE HOLLANDAISE

4 jaunes d'œufs
250 g de beurre
1/2 citron
2 cuillerées à soupe d'eau
Sel, poivre

Préparer un bain-marie d'eau chaude. Mettre les jaunes d'œufs dans une casserole au bain-marie, ainsi que 2 cuillerées d'eau. Battre le mélange jusqu'à ce qu'il soit mousseux et épais. Faire fondre le beurre et le mélanger peu à peu aux jaunes d'œufs. Continuer à battre pour épaissir la sauce. Ajouter le jus du 1/2 citron, saler et poivrer. Si la sauce est trop épaisse, ajouter 1 cuillerée à soupe de crème Chantilly.

SAUCE MORNAY

1/2 litre de lait
50 g de beurre
50 g de farine
4 jaunes d'œufs
Sel, poivre, muscade
100 g de fromage râpé
2 cuillerées à soupe de crème

Faire un roux avec le beurre et la farine et laisser cuire 5 minutes. Laisser refroidir. Faire bouillir le lait et le verser sur le roux. Bien mélanger et laisser cuire une dizaine de minutes. Saler, poivrer et ajouter la pointe de muscade râpée. Retirer du feu et mettre la crème, les jaunes d'œufs, ainsi que le fromage râpé. Ne plus faire bouillir.

BEURRE BLANC

1 dl de vinaigre
1 dl de vin blanc
4 échalotes
250 g de beurre
1/2 citron
Sel, poivre
2 cuillerées à soupe de crème

Dans une casserole, mettre le vinaigre, le vin blanc et les échalotes hachées. Laisser réduire à sec, c'est-à-dire jusqu'à consistance d'une purée épaisse. Retirer du feu et ajouter les 2 cuillerées de crème, puis peu à peu, en fouettant, les 250 g de beurre en petits morceaux jusqu'à ce que l'ensemble devienne bien onctueux. Saler, poivrer et ajouter le filet de citron.

Vous pouvez garder cette sauce au chaud ou dans un bain-marie.

SAUCE PÉRIGUEUX

1 truffe
100 g de beurre
1/4 de litre de fond de veau
1 verre de porto
1 cuillerée à soupe de cognac
Sel, poivre

Hacher la truffe et la faire suer dans un peu de beurre.

Mouiller avec le porto et le cognac, ainsi qu'avec le fond de veau. Laisser bouillir quelques minutes et monter la sauce au dernier moment avec le beurre froid en petits morceaux.

Saler et poivrer.

Au lieu de la lier au beurre, on peut aussi la lier avec un morceau de foie gras.

SAUCE BÉARNAISE

4 jaunes d'œufs
4 cuillerées à soupe de vinaigre de vin blanc
250 g de beurre
2 échalotes
2 cuillerées à soupe d'estragon
Sel, poivre concassé
1 cuillerée à soupe de cerfeuil

Mettre le vinaigre dans une sauteuse, puis les échalotes finement hachées, le poivre concassé, 1 cuillerée d'estragon haché.

Laisser réduire jusqu'à ce qu'il ne reste plus que la valeur d'une cuillère.

Retirer du feu. Ajouter les jaunes d'œufs. Bien fouetter. Remettre sur le feu, ou, si vous n'avez pas beaucoup d'expérience, placer la sauteuse dans un bain-marie.

Dès que la masse épaissit, ajouter petit à petit le beurre légèrement fondu.

Dès que la sauce a une belle consistance, la passer au chinois, la saler et incorporer le reste d'estragon et le cerfeuil haché.

SAUCE CHORON

Incorporer 4 cuillerées de purée de tomates à la sauce béarnaise.

SAUCE AMÉRICAINE

1 homard
2 cuillerées à soupe d'huile d'olive
1 poireau
2 carottes
1 oignon
1 verre de cognac
1/2 litre de vin blanc
1/2 litre de fumet de poissons
2 cuillerées à soupe de concentré de tomates
1 bouquet garni
2 gousses d'ail
Poivre concassé, poivre de Cayenne
1 branche de thym et estragon
2 cuillerées à soupe de farine
Sel

Couper la queue du homard.

Détacher les pinces.

Fendre le coffre.

Enlever la partie pierreuse qui se trouve dans la tête. Avec une cuillère, sortir le corail de la tête (la partie verdâtre).

On peut aussi prendre des carapaces de homard.

Dans une casserole, faire chauffer 2 cuillerées à soupe d'huile d'olive.

Faire suer 1 poireau, 2 carottes, 1 oignon coupé grossièrement. Ajouter le homard et faire rougir la carapace. Mouiller avec 1 verre de cognac. Laisser un peu réduire et ajouter 1/2 litre de vin blanc et du fumet de poissons à hauteur des carapaces. Ajouter 2 cuillerées de concentré de tomates, 1 bouquet garni, 2 gousses d'ail écrasées, du poivre concassé et 1 pointe de Cayenne, 1 branche de thym et de l'estragon. Saler.

Après 20 minutes de cuisson, retirer les morceaux de homard de la cuisson. Les décortiquer et les garder au chaud. Remettre les carapaces dans la cuisson. Laisser encore réduire durant 30 minutes.

Lier le corail de homard avec 2 cuillerées à soupe de farine et l'ajouter à la sauce. Laisser encore bouillir pendant 5 minutes, puis passer la sauce au chinois.

BEURRE DE HOMARD
OU D'ÉCREVISSES

Piler les carapaces d'écrevisses ou de homard.

Ajouter le même poids de beurre et faire revenir une quinzaine de minutes.

Mouiller à hauteur des carapaces avec de l'eau et laisser mijoter une demi-heure.

Verser sur une passoire. Mettre au froid. Le beurre devient dur.

Recueillir le beurre, le remettre dans une casserole et lui donner quelques bouillons pour le clarifier.

Le mettre dans des petits pots et le garder au froid, ou au congélateur jusqu'à l'emploi.

COURT-BOUILLON
pour écrevisses ou poissons

1 litre de vin blanc (sylvaner)
2 litres d'eau
2 oignons
1 poireau
1 gousse d'ail
Queues de persil
1 feuille de laurier
1 clou de girofle
1 branche de thym
Sel, poivre

Faire bouillir dans une casserole 2 litres d'eau et 1 litre de vin blanc (sylvaner).

Mettre 2 oignons, 1 carotte, 1 blanc de poireau, 1 gousse d'ail, des queues de persil, le tout coupé grossièrement.

Ajouter 1 feuille de laurier, 1 clou de girofle, 1 branche de thym, sel et poivre concassé.

Laisser cuire pendant 20 minutes.

GELÉE DE POISSONS

2 cuillerées à soupe d'huile
1 poireau
2 carottes
1 oignon
Quelques queues de persil
1 gousse d'ail

1 bouquet garni
300 à 500 g d'arêtes de poisson
1 tête de turbot
1/4 de litre de vin blanc sec
Poivre, sel

Faire un fumet de poissons :

Mettre 2 cuillerées à soupe d'huile dans une casserole. Faire revenir, sans colorer, 1 poireau, 2 carottes, 1 oignon coupé grossièrement, des queues de persil, 1 gousse d'ail. Ajouter les arêtes de poisson et la tête d'un turbot. Mouiller avec de l'eau et du vin blanc. Saler. Poivrer avec du poivre concassé. Ajouter un bouquet garni.

Faire bouillir à petit feu pendant 1 heure sans couvrir la casserole.

Écumer à plusieurs reprises durant la cuisson.

Passer au chinois et réserver.

Pour la gelée de poissons :

1 litre de fumet de poissons
15 feuilles de gélatine
1/4 de litre de riesling
Poivre concassé
1 branche d'estragon
4 blancs d'œufs

Mettre dans une casserole les blancs d'œufs et le riesling. Fouetter jusqu'à ce que le liquide devienne bien mousseux. A ce moment, ajouter le fumet de poissons tiède et la gélatine que l'on aura fait tremper dans l'eau froide. Ajouter la branche d'estragon et le poivre concassé. Mettre sur le feu sans cesser de fouetter. Dès la première ébullition, retirer du feu et poser un couvercle sur la casserole.

Laisser reposer une dizaine de minutes. Cette opération sert à clarifier la gelée.

Passer à travers un torchon bien lavé (pour qu'il ne subsiste aucune odeur de savon).

Rectifier l'assaisonnement et mettre au frais.

GELÉE DE VOLAILLE

1 kg d'abats de volaille (ou une poule)
2 pieds de veau
1/2 litre de vin blanc
1 oignon
2 carottes
2 poireaux
1 gousse d'ail
1 tomate
1 feuille de laurier, quelques tiges de persil, 1 branche de thym
Sel, poivre

Préparer un bon fond blanc avec des abats de volaille (ou une poule) et 2 pieds de veau.

Dans une rôtissoire, faire dorer au four les abats et les pieds de veau. Dès qu'ils sont bien dorés, les retirer et les mettre dans une casserole. Déglacer la rôtissoire avec 1/2 litre de vin blanc. Verser le déglaçage sur les abats et les pieds et ajouter de l'eau.

Mettre une garniture comme pour un consommé :
— oignon, carottes, poireaux, tiges de persil, 1 gousse d'ail, 1 tomate fraîche, thym, laurier, sel, poivre.

Laisser mijoter pendant 2 heures à 2 heures 30.

Passer ensuite au chinois étamine.

CLARIFICATION

1 carotte
1/4 de céleri
1 poireau
Quelques queues de persil
1 tomate
300 à 400 g de bœuf maigre
4 à 5 blancs d'œufs
60 à 70 g de gelée
Un peu de porto ou xérès

Émincer 1 carotte, 1/4 de céleri, 1 poireau, des queues de persil. Couper une belle tomate en quartiers.

Passer à la grosse grille du hachoir 300 à 400 g de viande de bœuf maigre.

Mélanger le tout (viande et légumes émincés), en y ajoutant 4 à 5 blancs d'œufs.

Pour clarifier :

Porter à ébullition le fond blanc de volaille.

Y ajouter tout en remuant 60 à 70 g (selon la consistance de la gelée désirée) de gelée alimentaire neutre.

Ajouter la clarification. Faire bouillir en prenant soin que la gelée n'attache pas au fond de la casserole (remuer très doucement avec une spatule).

Laisser mijoter pendant 30 minutes.

Passer ensuite à l'étamine.

Rectifier l'assaisonnement.

Ajouter un peu de porto ou de xérès.

FOND DE VEAU

1 carcasse de volaille
Os de veau
1 jarret de veau
5 oignons
3 carottes
1/4 de céleri
Queues de persil
4 cuillerées de concentré de tomates
2 tomates fraîches
2 gousses d'ail en chemise
1 bouquet garni
2 litres de vin blanc
Sel, poivre

Faire revenir dans l'huile la carcasse de volaille, les os et le jarret de veau. Dès que le tout est bien doré, ainsi que les légumes coupés en mirepoix, mouiller avec le vin blanc et à hauteur avec de l'eau. Ajouter le bouquet garni, l'ail et le concentré de tomates, ainsi que très peu de sel et poivre. Mettre le couvercle et laisser mijoter au four durant 2 à 3 heures.

Passer à travers un chinois la cuisson qui doit être fortement réduite. Garder le jarret pour un autre emploi.

Salade de lapereau (recette p. 43).

ENTRÉES

SALADE AUX CERVELLES DE VEAU
ET AUX POINTES D'ASPERGES
SALADE DE LAPEREAU
SALADE D'ASPERGES AUX TRUFFES
SALADE DE ROUGETS ET DE RAIE AU CAVIAR
ŒUFS POCHÉS MOSCOVITE
TERRINE DE POISSONS, DE COQUILLES SAINT-JACQUES
ET DE HOMARD A LA GELÉE AU SAFRAN
TERRINE DE FOIE GRAS TRUFFÉ
TERRINE DE FOIE DE VOLAILLE TRUFFÉE
TERRINE DE CAILLES ET DE RIS DE VEAU
MILLEFEUILLE A LA STRASBOURGEOISE
BRIOCHE DE FOIE GRAS
MOUSSE DE PINTADEAU
TRUFFE SURPRISE
TRUFFE SOUVAROFF
TRUFFE SOUS LA CENDRE
FONDS D'ARTICHAUTS AU RIS DE VEAU
ET AUX PETITS LÉGUMES
FOIE D'OIE CHAUD AUX POMMES REINETTES
FEUILLETÉ D'ŒUFS POCHÉS AUX GRENOUILLES
FEUILLETÉ D'ASPERGES AUX MORILLES FRAÎCHES
FEUILLETÉ D'ŒUFS POCHÉS AUX QUEUES D'ÉCREVISSES
ŒUFS MOULÉS AUX MACARONIS
SOUFFLÉ D'ŒUFS POCHÉS FURSTENBERG
PRESSKOPF MÉNAGÈRE
PÂTÉ CHAUD DE BÉCASSE
TOURTE DE LA VALLÉE
PÂTÉ CHAUD PAYSAN

SALADE AUX CERVELLES DE VEAU ET AUX POINTES D'ASPERGES

Ingrédients pour 4 personnes :

2 cervelles de veau
1 botte de cresson de fontaine
2 tomates
1 botte d'asperges
1 cuillerée à soupe de persil haché
1 cuillerée à soupe de cerfeuil haché
30 g de beurre
Un peu de farine
Vinaigre
Sel

4 cuillerées à soupe d'huile d'olive
2 cuillerées à soupe de vinaigre de xérès
Sel, poivre
2 échalotes hachées
Un zeste de citron blanchi

Faire dégorger les cervelles dans l'eau froide. Enlever les parties sanguines et pocher quelques minutes les cervelles dans un court-bouillon vinaigré et salé. Les laisser refroidir dans leur cuisson.

Cuire les asperges dans l'eau bouillante salée durant 10 minutes. Les égoutter et les couper en ne gardant que les pointes de 10 cm de long.

Ébouillanter les tomates, les peler et les couper en 2. Les presser pour enlever les pépins. Les couper en petits dés.

Préparer la vinaigrette.

Couper les cervelles en escalopes, les fariner et les sauter au beurre. Les dorer des 2 côtés. Déglacer la poêle avec les échalotes hachées et la vinaigrette. Ne pas faire bouillir. Il faut que la vinaigrette soit légèrement tiède. Ajouter les fines herbes, les dés de tomates et le zeste de citron blanchi.

Étaler la botte de cresson dans un plat. Poser dessus les escalopes de cervelles. Garnir avec les pointes d'asperges et napper le tout avec la vinaigrette.

SALADE DE LAPEREAU

Photo page 40

Ingrédients pour 6 personnes :

1 lapereau de 1,5 kg
Sel, poivre
50 g de beurre
2 oignons
2 carottes
1/2 litre de riesling
3 tomates entières
1 gousse d'ail
1 bouquet garni
500 g de salade (mâche, frisée,
    feuilles de chêne)
6 tranches de foie d'oie

Vinaigrette :

1 truffe de 20 g
2 cuillerées à soupe de vinaigre
    de sherry
1 cuillerée à soupe de moutarde
    de Dijon
4 cuillerées à soupe d'huile
    d'arachide ou d'olive
Sel, poivre

Couper le lapereau en 8 morceaux, saler et poivrer et le faire revenir au beurre dans une cocotte. Ajouter les oignons et les carottes coupés en morceaux. Dès que le tout a une belle couleur dorée, mouiller avec le riesling et de l'eau à hauteur des morceaux de lapereau. Ajouter les tomates coupées en 4, le bouquet garni et la gousse d'ail écrasée. Couvrir la cocotte et laisser mijoter à feu doux durant 1 heure. Sortir les morceaux de lapereau et les laisser refroidir. Désosser et couper la chair en gros dés.

Passer le fond de lapereau à travers une passoire et laisser réduire en plein feu jusqu'à ce que le fond devienne sirupeux.

Hacher la truffe.

Dans ce fond qui doit rester tiède, ajouter le vinaigre de sherry, l'huile, la moutarde. Bien mélanger, saler et poivrer et ajouter en dernier la truffe hachée ainsi que son jus.

Entre-temps, nettoyer la salade. La laver et bien la sécher. La disposer sur des assiettes. Faire sauter au beurre les tranches de foie d'oie en les tenant bien roses. Dresser la chair de lapereau au milieu de la salade et napper avec la vinaigrette aux truffes. Poser dessus ou autour les tranches de foie d'oie.

Vous pouvez également sauter au beurre les rognons et le foie du lapereau et les dresser autour de la salade.

SALADE D'ASPERGES AUX TRUFFES

Ingrédients pour 4 personnes :

2 bottes d'asperges
Salade frisée
2 truffes fraîches de 30 g chacune
2 œufs durs : uniquement les jaunes
1/2 cuillerée à soupe de jus de citron
1/2 cuillerée à soupe de vinaigre de xérès
4 cuillerées à soupe d'huile d'olive
Pluches de cerfeuil
Poivre du moulin, sel

Éplucher et cuire les asperges en les mettant dans l'eau bouillante salée. Temps de cuisson : 10 minutes. Les égoutter et les couper en ne gardant que les pointes de 10 cm de long.

Sur les assiettes, dresser la salade frisée. Poser dessus les asperges tièdes et les truffes fraîches coupées en lamelles très fines. Donner 2 tours de moulin à poivre.

Faire une vinaigrette avec le citron, le vinaigre, l'huile d'olive. Saler et poivrer et napper la salade.

Parsemer de jaunes d'œufs hachés et de quelques pluches de cerfeuil.

Salade de rougets et de raie au caviar (recette p. 45).

SALADE DE ROUGETS
ET DE RAIE AU CAVIAR

Photo page 44

Ingrédients pour 4 personnes :

2 rougets de 250 g
1 aile de raie de 400 g
1 botte de cresson de fontaine
4 tomates
Vinaigre de xérès, huile d'olive
1 cuillerée à soupe de moutarde
Sel, poivre
2 cuillerées à café de caviar (facultatif)
2 échalotes

Court-bouillon :

1 litre d'eau
2 cuillerées à soupe de vinaigre
1 branche de thym
Sel

Porter à ébullition de l'eau vinaigrée et salée aromatisée de 1 branche de thym. Faire pocher l'aile de raie durant 10 minutes sans faire bouillir.

Lever les filets de rougets, les saler et les poêler à l'huile d'olive. Dans cette cuisson, faire suer les échalotes hachées et déglacer avec le vinaigre de xérès. Ajouter un peu d'huile et la cuillerée de moutarde. Saler et poivrer.

Ébouillanter et peler les tomates ; les couper en 2, enlever les pépins et les couper en dés. Les ajouter à la cuisson vinaigrée des rougets.

Une fois la raie cuite, enlever la peau et le cartilage.

Dresser le cresson légèrement tiède sur des assiettes. Disposer dessus la raie et les filets de rougets et napper avec la cuisson vinaigrée des rougets. Parsemer avec les grains de caviar.

ŒUFS POCHÉS MOSCOVITE
Photo page 48

Ingrédients pour 4 personnes :

8 huîtres plates de belon
8 œufs
4 cuillerées à soupe de vinaigre
1/4 de litre de gelée
2 feuilles de gélatine
10 g de caviar
1/4 de litre de sauce américaine
1/2 citron
Pain pour toasts
Algues pour le décor

Ouvrir les huîtres, les détacher de leur coquille et conserver leur eau de mer. Bien laver et nettoyer les coquilles.

Pocher les huîtres dans leur eau avec 1 filet de citron (faire attention qu'il n'y ait pas de déchets de coquilles). Il faut un seul bouillon. Retirer du feu et laisser refroidir dans la cuisson.

Pocher les œufs dans une casserole d'eau bouillante en y ajoutant les 4 cuillerées de vinaigre. Surtout ne pas saler. Casser les œufs un à un en remontant le blanc sur le jaune. Laisser frémir 6 minutes. Sortir les œufs et les rafraîchir dans une bassine d'eau froide. Placer les œufs pochés sur un torchon.

Faire chauffer la sauce américaine en y ajoutant 2 feuilles de gélatine ramollies à l'eau froide. Laisser refroidir la sauce.

Poser les œufs pochés sur une grille à tarte et, dès que la sauce américaine commence à épaissir, napper les œufs pochés.

Placer une huître de belon sur chaque œuf et napper d'une couche de gelée mi-prise, à l'aide d'un pinceau.

Placer les œufs pochés avec les huîtres dans les coquilles et dresser autour des œufs un fin cordon de gelée hachée.

Décorer chaque huître avec 1 cuillerée à café de caviar.

Dresser les huîtres sur un plat recouvert d'algues.

Servir à part des toasts tièdes.

TERRINE DE POISSONS, DE COQUILLES SAINT-JACQUES ET DE HOMARD A LA GELÉE AU SAFRAN

Photo page 52

Photo page 52

Ingrédients pour 8 à 10 personnes :

1 litre de soupe de poissons
2 g de safran (filament)
4 cuillerées à soupe de Ricard
4 rougets
300 g de lotte
1 queue de homard cuite
12 coquilles Saint-Jacques
8 feuilles de gélatine
Sel, poivre

Mettre les poissons en filets. Réserver les arêtes pour la soupe de poissons. Laisser la peau des rougets.

Faire bouillir la soupe de poissons en y ajoutant le Ricard et les filaments de safran. Saler, poivrer.

Pocher les poissons et les coquilles Saint-Jacques individuellement dans la soupe de poissons. Les sortir au fur et à mesure de la cuisson et les laisser refroidir.

Laisser réduire la cuisson de moitié et ajouter les 8 feuilles de gélatine préalablement ramollies à l'eau froide. Donner un bouillon et rectifier l'assaisonnement.

Mettre une couche de cette gelée de poissons dans une terrine. Laisser refroidir. Ranger dessus, dans l'ordre, les filets de rougets (peau en dessous), les filets de lotte, la queue de homard coupée, les coquilles Saint-Jacques et, en dernier, encore une couche de filets de rougets. Remplir avec le reste de gelée de poissons. Mettre dessus une petite planchette ayant la forme de la terrine et laisser au réfrigérateur durant la nuit.

Pour servir, sortir la terrine du moule en la trempant quelques secondes dans l'eau chaude. Couper en tranches et servir avec une sauce faite avec 1 tasse de soupe de poissons qu'on aura gardée en réserve, la chair de 2 tomates, jus de citron et huile d'olive : le tout broyé au mixer ; ou une sauce rémoulade.

TERRINE DE FOIE GRAS TRUFFÉ

Ingrédients pour 8 personnes :

1 foie gras de 800 g
15 g de sel épicé
2 cl de cognac
2 cl de porto
1 truffe de 40 g
100 g de graisse d'oie

A l'aide d'un petit couteau d'office, partager le foie en deux. Gratter soigneusement l'emplacement du fiel, enlever tous les vaisseaux sanguins.

Assaisonner à l'intérieur et à l'extérieur les 2 lobes avec le sel épicé, le porto et le cognac. Faire macérer durant 24 heures.

Dans une terrine en terre ou en faïence de préférence, mettre le foie et bien le presser. Faire une ouverture avec le doigt au milieu du foie pour y introduire la truffe coupée en morceaux. Bien fermer. Couvrir avec le couvercle de la terrine.

Cuire la terrine dans un bain-marie au four à 150º durant 40 minutes.

Laisser refroidir au bain-marie, ôter le couvercle et recouvrir avec de la graisse d'oie fondue.

Vous pouvez conserver cette terrine au frais durant 2 semaines.

Servir le foie gras avec une cuillère trempée dans l'eau chaude.

Le servir accompagné de toasts et de gelée de volaille hachée.

Œufs pochés moscovite (recette p. 46).

TERRINE DE FOIE DE VOLAILLE TRUFFÉE

Ingrédients pour 8 personnes :

500 g de foies de volaille
400 g de beurre
1 truffe et son jus
1 filet de porto
2 bardes de lard
1/2 tasse de crème
Sel épicé
1 branche de thym
1/4 de litre de lait
1 tasse de gelée de volaille

Mettre à mariner durant 24 heures les foies de volaille dans le lait avec la branche de thym.

Le lendemain les égoutter sur une passoire.

Tapisser une terrine avec le lard et mettre les foies de volaille assaisonnés avec le sel épicé et le filet de porto. Rabattre les bardes de lard sur les foies et les faire pocher au bain-marie durant 45 minutes. L'eau ne doit pas dépasser la température de 60º. Égoutter les foies sur une passoire. En réserver 4 pièces, choisir les plus beaux.

Passer les foies restants au tamis ou au mixer, ajouter petit à petit les 400 g de beurre ramolli et le jus de truffe, ainsi que la crème.

Sortir du mixer, rectifier l'assaisonnement. Hacher la truffe et l'ajouter.

Mettre la mousse de foies de volaille dans une terrine et placer au milieu les 4 plus beaux foies que l'on aura réservés. Bien tasser et mettre au réfrigérateur, Recouvrir ensuite la surface de la terrine de gelée de volaille.

Servir avec des toasts ou avec des tranches de pain de campagne grillées.

TERRINE DE CAILLES
ET DE RIS DE VEAU

Ingrédients pour 10 à 12 personnes :

5 cailles
600 g de ris de veau
3 bardes de lard gras
250 g de foie gras
50 g de truffes
thym, laurier

Braisage :

1 oignon
2 carottes
1 gousse d'ail
1 bouquet garni
50 g de beurre
1 branche de thym, 50 g de céleri

Farce :

150 g de porc
100 g de lard gras
100 g de veau
50 g de foies de volaille
50 g de foie d'oie frais (facultatif)
100 g de chair de volaille
10 g d'échalotes hachées
1 œuf
20 g de beurre
1 filet de cognac
1 dl de crème fraîche
Sel épicé, poivre

Braisage des ris de veau :

Faire dégorger à l'eau froide les ris de veau durant la nuit. Les blanchir et les rafraîchir, enlever le cartilage.

Mettre le beurre dans une cocotte, ajouter l'oignon, les carottes et le céleri émincés, le thym, la gousse d'ail non épluchée. Placer par-dessus le ris de veau. Saler, poivrer, mouiller avec un verre d'eau. Couvrir et cuire tout doucement 30 minutes. Faire attention de ne pas colorer les ris de veau. Laisser refroidir les ris de veau et les émietter.

Désosser soigneusement les 5 cailles, les saler et les poivrer, les laisser mariner 2 à 3 heures dans un peu de cognac.

Faire une farce avec les ingrédients indiqués. Passer à la machine à hacher : le porc, le lard gras, le veau, les foies de volaille et le foie d'oie, ainsi que la chair de volaille. Ajouter les échalotes hachées, préalablement suées au beurre. Ajouter également le cognac, le sel épicé et 1 œuf. Bien mélanger en y incorporant doucement 1 dl de crème fraîche.

Quand la farce est bien homogène, y ajouter les ris de veau émiettés.

Préparer la terrine :

Étaler les cailles bien à plat. Couper la truffe et le foie gras pour les disperser sur toute la longueur des cailles. Former ensuite avec ces cailles farcies un genre de boudin de la longueur de la terrine. Choisir une terrine de forme plutôt allongée. La foncer avec les bardes de lard gras. La chemiser avec la farce. Mettre au centre le boudin de caille. Recouvrir avec le restant de farce et, pour finir, une barde de lard. Avant de mettre le couvercle, poser une branche de thym et 1/2 feuille de laurier.

Cuire au four (150º) au bain-marie durant 1 heure 30.

MILLEFEUILLE A LA STRASBOURGEOISE

Photo page 56

Ingrédients pour 4 personnes :

250 g de pâte feuilletée
1 boîte de foie gras de 250 g
100 g de beurre
1 truffe de 20 g hachée
1 cuillerée à café de porto
Sel, poivre
2 cuillerées à soupe de crème double
4 cuillerées à soupe de gelée de volaille

Mélanger au mixer le beurre moelleux et le foie gras. Laisser tourner 5 minutes. Ajouter le porto et la crème double. Laisser tourner 2 minutes.

Sortir la mousse de foie gras. La mettre dans une terrine. Saler et poivrer si besoin et garder à température ambiante. Ne pas mettre au réfrigérateur.

Étendre la pâte feuilletée en 3 bandes rectangulaires très minces de 20 × 8 cm. Mettre sur une plaque. Humecter d'eau froide et piquer la pâte avec une fourchette. Cuire 10 minutes au four à 200º.

Dresser les bandes de feuilletage sur une grille et laisser refroidir. Les tartiner avec la mousse de foie fras et les superposer par 3. Égaliser le dessus avec une spatule et décorer avec la truffe hachée. Badigeonner avec un pinceau de gelée mi-prise.

Couper des tranches et servir avec de la gelée hachée.

51

BRIOCHE DE FOIE GRAS

Ingrédients pour 10 personnes :

2 foies d'oie de 800 g chacun
Sel épicé 15 g
1/2 verre de porto et cognac
2 truffes de 40 g chacune
1/4 de litre de gelée de volaille

Pour la pâte à brioche (voir recette) :

500 g de farine
200 g de beurre
3 œufs
1 tasse de lait
10 g de levure
25 g de sucre
Sel
1 jaune d'œuf pour dorer

Laisser mariner une nuit les foies avec le sel épicé, le porto et le cognac.

Faire la pâte à brioche. La rabattre une première fois. Quand elle aura levé pour la deuxième fois, l'étendre au rouleau et foncer un moule beurré (genre cake). Réserver un peu de pâte pour faire un couvercle.

Remplir le moule avec les foies d'oie marinés. Faire une incision avec un couteau, dans le sens de la longueur, et y introduire les truffes coupées en morceaux. Bien tasser. Rabattre la pâte sur le foie d'oie. L'humecter avec un pinceau et poser par-dessus un couvercle fait avec la pâte restante. Laisser lever dans un endroit chaud. Dorer à 2 reprises et cuire au four à 200° durant 45 minutes.

Sortir du four et laisser refroidir durant la nuit.

Le lendemain faire au milieu de la brioche une incision ronde avec un couteau d'office. Verser par ce trou la gelée mi-prise.

Remettre au réfrigérateur durant 1 heure. Découper la brioche en tranches en trempant chaque fois le couteau dans l'eau bouillante.

Terrine de poissons, de coquilles Saint-Jacques et de homard à la gelée au safran (recette p. 47).

MOUSSE DE PINTADEAU

Ingrédients pour 8 personnes :

1 pintadeau de 1 kg
150 g de foie gras de canard
50 g de beurre
1 truffe de 20 g et son jus
1 verre de porto
1/4 de litre de crème Chantilly
1 tasse de fond de volaille
5 feuilles de gélatine
1 mirepoix avec oignon, carotte, 1 tomate, 1/2 gousse d'ail
Sel épicé

Flamber et vider le pintadeau. Saler et poivrer. L'enduire de beurre et le rôtir au four à 200° durant 30 minutes. Le sortir de la cocotte et le laisser refroidir. Le désosser et enlever la peau.

Pour le fond de pintadeau, faire revenir dans la cocotte la carcasse coupée ainsi que la mirepoix. Bien dorer et mouiller avec le fond de volaille et le porto. Laisser mijoter durant 30 minutes. Il faut que le fond soit sirupeux. Passer au chinois et ajouter les 5 feuilles de gélatine trempées à l'eau froide.

Passer la chair du pintadeau à la grille fine du hachoir. Mettre dans le mixer ainsi que le foie gras de canard. Ajouter le fond de cuisson du pintadeau. Laisser tourner durant quelques minutes. Il faut que le foie et la cuisson du pintadeau soient à la température ambiante sinon la mousse risque de tourner.

Sortir le tout du mixer. Ajouter la truffe hachée et son jus, le sel épicé si nécessaire et mélanger délicatement avec la crème Chantilly.

Dresser la mousse dans de petites terrines et laisser refroidir 1 heure. Couler dessus une mince pellicule de gelée de volaille.

Servir le lendemain avec des toasts ou des tranches de pain de campagne grillées.

TRUFFE SURPRISE

Ingrédients pour 4 à 6 personnes :

300 g de foie d'oie ou foie de canard cuit
100 g de beurre
100 g de truffe hachée
Sel, poivre
1/4 de litre de gelée de volaille
1 cl de porto

Passer le foie d'oie au mixer ; ajouter le beurre moelleux, le porto. Saler et poivrer si besoin. Mettre dans une terrine et garder au froid.

Avec une cuillère former des boules rondes et les rouler dans la truffe hachée. Remettre au froid.

Faire fondre la moitié de la gelée de volaille et, dès qu'elle est presque prise, tremper les truffes et les laisser refroidir sur une grille à tarte.

Présenter ces truffes au foie gras sur un lit de gelée hachée.

TRUFFE SOUVAROFF

Ingrédients pour 4 personnes :

4 truffes de 40 g chacune
1/4 de litre de sauce Périgueux
200 g de feuilletage
1 jaune pour dorer

Bien laver et brosser les truffes. Les poser dans des moules en terre individuels. Recouvrir avec la sauce à hauteur des truffes.

Étendre la pâte feuilletée et découper des abaisses rondes légèrement plus grandes que les moules. Recouvrir les moules de la pâte. Dorer avec un jaune d'œuf. Bien presser la pâte contre le moule pour que le couvercle adhère bien et cuire à four chaud durant 20 minutes.

Il ne faut surtout pas faire de trou dans la pâte sinon tout le parfum de la truffe s'évapore.

Servir aussitôt.

(Un grand amateur de truffe se recouvre la tête d'une serviette pour manger cette truffe Souvaroff.)

TRUFFE SOUS LA CENDRE

Ingrédients pour 4 personnes :

4 belles truffes fraîches de 30 g
250 g de farce (100 g de porc, 100 g de chair de volaille, 50 g de foie gras, 1 jaune d'œuf, sel épicé)
4 fines tranches de foie gras
200 g de pâte brisée
1 jaune d'œuf pour dorer

Bien laver et brosser les truffes.

Faire la farce en passant à la grille fine le porc, la chair de volaille et le foie d'oie. Bien mélanger avec le jaune d'œuf et le sel épicé.

Enrober les truffes avec les tranches de foie gras, ainsi qu'avec une mince couche de farce.

Étendre la pâte et poser dessus les truffes en les enfermant complètement dans la pâte. Bien les rouler en boule.

Poser les truffes sur une plaque beurrée et les badigeonner avec un jaune d'œuf. Les cuire au four chaud à 200º durant 20 minutes. Ou (d'où leur vient le nom d'origine) les envelopper dans un papier d'aluminium et les cuire sous les cendres chaudes.

Accompagner les truffes d'une sauce Périgueux.

FONDS D'ARTICHAUTS
AU RIS DE VEAU
ET AUX PETITS LÉGUMES

Ingrédients pour 4 personnes :

4 artichauts
1 beau ris de veau
2 citrons
50 g de farine
150 g de beurre
300 g d'épinards
1/4 de litre de fond de volaille
200 g de carottes

200 g de navets
16 petits oignons grelots
100 g de petits pois écossés
1 échalote
1/2 verre de vin blanc
1 gousse d'ail, sel, poivre
1 pincée de sucre

Couper la tige des artichauts et les feuilles aux 3/4 de la hauteur. Ensuite, avec un couteau, enlever le reste. Sortir le foin avec une cuillère. Tourner les fonds d'artichauts. Les citronner aussitôt et les mettre dans l'eau froide.

Cuire les fonds d'artichauts dans un blanc bouillant (50 g de farine dans 2 litres d'eau citronnée) durant 30 minutes.

Laisser dégorger le ris de veau sous l'eau froide environ 2 heures. Blanchir le ris de veau et le rafraîchir. Presser le ris de veau entre 2 assiettes durant la nuit.

Couper en bâtonnets les carottes et les navets et les cuire individuellement dans de l'eau bouillante salée. Cuire les petits pois dans l'eau bouillante et les rafraîchir aussitôt ; il faut qu'ils restent croquants et bien verts.

Faire cuire les petits oignons grelots avec beurre, sel et pincée de sucre. Mouiller à hauteur des oignons avec de l'eau et laisser réduire jusqu'à ce que le liquide devienne sirupeux.

Blanchir les épinards en les jetant dans l'eau bouillante. Laisser cuire 2 minutes. Les sortir aussitôt dans l'eau froide. Égoutter sur une passoire. Faire chauffer les épinards dans une sauteuse avec 50 g de beurre, une gousse d'ail non épluchée.

Tailler dans le ris de veau 4 beaux médaillons. Les saler, les poivrer, les fariner. Dans une poêle mettre 1 noix de beurre et, dès qu'il commence à mousser, mettre les médaillons de ris de veau. Laisser cuire 4 minutes de chaque côté. Sortir de la poêle et garder au chaud.

(Voir suite p. 57.)

56   *Millefeuille à la strasbourgeoise (recette p. 51).*

Jeter le beurre de la cuisson du ris de veau. Faire suer l'échalote hachée et déglacer avec le 1/2 verre de vin blanc et le fond de volaille. Laisser réduire. Monter la sauce avec 50 g de beurre froid en petits morceaux, rectifier l'assaisonnement. Ajouter les légumes coupés et les petits oignons.

Dresser sur un plat les fonds d'artichauts, les garnir avec les épinards. Poser dessus les médaillons de ris de veau et napper avec la sauce et les petits légumes.

FOIE D'OIE CHAUD
AUX POMMES REINETTES

Ingrédients pour 4 personnes :

1 foie d'oie de 600 à 700 g
4 pommes reinettes
Sel, poivre, un peu de farine

Pour la sauce :

1/4 de litre de fond de volaille	4 lames de truffes
1/2 verre de porto	1 petite truffe hachée
100 g de beurre	1/2 verre de vin blanc

Couper le foie d'oie en 4 escalopes. Les aplatir avec une batte. Saler, poivrer et fariner légèrement.

Peler et émincer les pommes reinettes. Les sauter au beurre dans une poêle. Ajouter le vin blanc et laisser cuire 5 minutes.

Faire dorer les escalopes de foie d'oie dans le beurre. Les cuire des 2 côtés en les gardant légèrement roses.

Faire la sauce aux truffes : Dans une sauteuse, faire suer au beurre la truffe hachée. Déglacer avec le 1/2 verre de porto et le fond de volaille. Laisser réduire de moitié et ajouter le reste de beurre en petits morceaux. Rectifier l'assaisonnement.

Dresser sur un plat les pommes reinettes et poser dessus les escalopes de foie d'oie. Napper avec la sauce aux truffes et garnir chaque escalope de foie d'oie de 1 lame de truffe lustrée dans la cuisson des foies.

FEUILLETÉ D'ŒUFS POCHÉS AUX GRENOUILLES

Ingrédients pour 4 personnes :

250 g de feuilletage
800 g de cuisses de grenouilles
3 cuillerées à soupe de crème double
1 cuillerée à soupe de beurre manié
150 g de beurre
2 échalotes
1/4 de litre de riesling
1/4 de litre de fumet de poissons
1/2 gousse d'ail
Ciboulette
Persil
4 œufs
4 cuillerées à soupe de vinaigre
1/2 citron

Fondue de poireaux :

2 blancs de poireaux
30 g de beurre
1 cuillerée à soupe de crème double
Sel
Poivre

Faire revenir dans 50 g de beurre les échalotes hachées. Mettre les cuisses de grenouilles, mouiller avec le vin blanc et le fumet de poissons et la pointe d'ail. Saler, poivrer et laisser mijoter 10 minutes.

Retirer les cuisses et les décortiquer.

Pocher les œufs dans une casserole d'eau bouillante, en y ajoutant les 4 cuillerées de vinaigre. Ne pas saler. Casser les œufs et les mettre un à un dans l'eau bouillante en montant le blanc sur le jaune. Laisser frémir 4 minutes. Sortir les œufs et les mettre dans une bassine d'eau froide. Les égoutter sur un torchon. Préparer la fondue de poireaux.

LA FONDUE DE POIREAUX

Dans une sauteuse faire fondre une noix de beurre, ajouter les poireaux coupés en julienne, saler, couvrir avec un couvercle et laisser mijoter durant 10 minutes, lier avec 1 cuillerée de crème double.

Découper la pâte feuilletée en carrés (4 rectangles de 10 × 15 cm). Les mettre sur une plaque, les laisser reposer 30 minutes et les cuire au four à 200°.

Faire la sauce en laissant réduire la cuisson des grenouilles. La lier avec 1 cuillerée de beurre manié, ajouter la crème et le beurre restant, 1 filet de citron, la ciboulette et le persil haché. Rectifier l'assaisonnement.

Ajouter les cuisses de grenouilles décortiquées à la sauce.

Ouvrir les feuilletés en 2, les garnir avec la fondue de poireaux, l'œuf poché tiède ; napper avec la sauce aux cuisses de grenouilles et recouvrir du couvercle en feuilletage.

Avant de servir, passer le plat 1/2 minute au four chaud.

FEUILLETÉ D'ASPERGES AUX MORILLES FRAÎCHES

Photo page 64

Ingrédients pour 4 personnes :

250 g de feuilletage
1 botte d'asperges de 1 kg
250 g de morilles fraîches
50 g de beurre
1/4 de litre de crème double
1 échalote hachée
Sel, poivre
1 œuf pour dorer

Peler les asperges, les mettre en 2 bottes, les couper à 10 cm des pointes et les cuire à l'eau bouillante salée durant 10 minutes.

Pendant la cuisson des asperges, préparer les feuilletés.

Étendre la pâte (5 mm) et couper 4 rectangles de 15 cm de long et 10 cm de large. Laisser reposer sur la plaque durant 1 heure. Dorer et cuire 10 minutes à four chaud.

Laver à plusieurs eaux les morilles afin qu'il n'y ait plus aucune trace de sable.

Faire fondre au beurre l'échalote hachée, mettre les morilles, saler et laisser cuire à couvert 10 minutes. Sortir les morilles de leur cuisson et les garder au chaud.

Ajouter à la cuisson la crème double et laisser réduire de moitié. Saler, poivrer. Remettre les morilles dans la sauce. Rectifier l'assaisonnement.

Ouvrir les feuilletés avec un couteau et disposer sur chacun 6 pointes d'asperges bien égouttées. Verser la sauce aux morilles sur les asperges et recouvrir les feuilletés de leur couvercle.

Passer 1/2 minute au four chaud et servir aussitôt.

FEUILLETÉ D'ŒUFS POCHÉS
AUX QUEUES D'ÉCREVISSES

Ingrédients pour 4 personnes :

250 g de feuilletage
1 kg 500 d'écrevisses
50 g de farine
2 cuillerées à soupe de crème
    double
125 g de beurre
1/4 de litre de crème
1 oignon
2 carottes

1 cuillerée à soupe de purée
    de tomates
1 bouquet garni
1/4 de litre de vin blanc
Sel et poivre
1 pointe de Cayenne
4 œufs
4 cuillerées à soupe de vinaigre

Cuire les écrevisses dans un court-bouillon environ 10 minutes et les décortiquer.

Dans une casserole, faire revenir avec 25 g de beurre, l'oignon haché, les carottes émincées et les carapaces pilées des écrevisses. Mouiller avec le vin blanc et 1/2 litre d'eau. Ajouter la purée de tomates, le bouquet garni, le sel et le poivre, 1 pointe de Cayenne, laisser mijoter durant 30 minutes et passer ce fond au chinois.

Pocher les œufs dans l'eau vinaigrée (1/4 de litre d'eau et 4 cuillerées à soupe de vinaigre), ne pas saler. Dès que l'eau bout, casser les œufs un à un en montant le blanc sur les jaunes. Laisser frémir 4 minutes. Sortir les œufs et les mettre dans une bassine d'eau fraîche. Les égoutter en les posant sur un linge.

Découper la pâte feuilletée en 4 rectangles (10 × 15 cm). Les mettre sur une plaque. Laisser reposer 30 minutes et cuire au four à 200º.

Faire la sauce aux écrevisses en liant le fond avec le beurre manié. Laisser réduire une dizaine de minutes, ajouter la crème et le beurre restant. Rectifier l'assaisonnement.

Faire suer au beurre les queues d'écrevisses et les ajouter à la sauce.

Ouvrir les feuilletés en 2, les garnir avec l'œuf poché tiède. Napper avec la sauce aux queues d'écrevisses et recouvrir du couvercle en feuilletage.

Avant de servir, passer le plat 1/2 minute au four chaud.

ŒUFS MOULÉS AUX MACARONIS

Ingrédients pour 4 personnes :

8 œufs
125 g de macaronis

Pour la sauce tomate :

1 kg de tomates
1/2 gousse d'ail
1 cuillerée à soupe de purée de tomates concentrée
100 g de beurre
1 petit bouquet garni
1 petite branche de céleri
1 oignon
1 morceau de sucre, sel, poivre

Cuire les macaronis à l'eau bouillante et les rafraîchir à l'eau froide. Les égoutter sur une passoire.

Bien beurrer 8 moules à darioles ou ramequins. Dresser les macaronis en spirale dans les moules contre les parois. Le beurre les fait tenir en formant un nid. Casser les œufs au milieu et les faire pocher au bain-marie durant 10 minutes. Il faut que le jaune reste moelleux.

Préparer la sauce tomate.

Couper les tomates en 4.

Faire suer au beurre (30 g) l'oignon haché. Ajouter les tomates coupées, le concentré de tomates, la 1/2 gousse d'ail, le bouquet garni et la branche de céleri. Saler, poivrer, ajouter un morceau de sucre. Laisser cuire une quinzaine de minutes. Sortir le bouquet garni et passer au mixer. Passer la sauce au chinois et ajouter 70 g de beurre hors du feu.

Démouler les œufs sur un plat et verser la sauce tomate autour.

La sauce ne doit pas maculer les macaronis car ceux-ci doivent garder le brillant que leur aura donné le beurre.

SOUFFLÉ D'ŒUFS POCHÉS FURSTENBERG

Ingrédients pour 4 personnes :

4 œufs
2 cl de vinaigre

Appareil à soufflé :

50 g de farine
50 g de beurre
1/4 de litre de lait
125 g de gruyère
6 œufs
Sel, poivre
Un peu de muscade râpée

Préparer les 4 œufs pochés. Faire bouillir de l'eau en y ajoutant le vinaigre. Casser les œufs dans une tasse. Il faut que les œufs soient bien froids. Mettre les œufs un à un dans l'eau bouillante et les laisser frémir 3 minutes. Les sortir avec une écumoire et les mettre dans l'eau froide. Ne jamais saler l'eau de la cuisson des œufs sinon il risquerait de se former des petits trous.

Préparer l'appareil à soufflé. Faire un roux avec le beurre et la farine, verser le lait, laisser cuire jusqu'à épaississement. Saler, poivrer, ajouter la muscade. Retirer du feu, ajouter 5 jaunes d'œufs, ainsi que la moitié du gruyère râpé.

Dans une terrine, battre 6 blancs en neige. Quand ils sont bien fermes, les ajouter au mélange lait-œufs. Mélanger doucement avec une spatule.

Beurrer un moule à soufflé et le fariner. Remplir le moule à moitié et mettre au four durant 5 minutes. Dès que le soufflé prend une légère couleur, le sortir et placer dessus les 4 œufs pochés légèrement salés et poivrés. Remettre le reste de l'appareil à soufflé et saupoudrer du reste de gruyère râpé. Il faut que cette dernière opération se fasse très rapidement. Remettre au four durant 10 minutes. Servir aussitôt. Les œufs pochés doivent rester très moelleux, le jaune ne doit pas être dur.

PRESSKOPF MÉNAGÈRE

Ingrédients pour 8 personnes :

1 tête de porc avec la langue
2 carottes
1 poireau
1/2 céleri
4 clous de girofle
2 feuilles de laurier
Thym
6 gousses d'ail
Coriandre
Poivre en grains

Persil en branches
2 oignons
2 cuillerées à soupe de persil
et de cerfeuil hachés
Sel, poivre, thym, brins de persil
1/2 litre de vin blanc sec

Couper la tête de porc en 2 dans le sens de la longueur. La laver et la frotter avec 4 gousses d'ail écrasées. La recouvrir de sel, du coriandre concassé, des feuilles de laurier, thym, poivre concassé. Laisser la tête dans la salaison durant 2 à 3 jours.

Sortir la tête et la faire bien dégorger dans l'eau froide.

La mettre dans une casserole, la recouvrir entièrement d'eau. Faire bouillir en écumant la mousse qui se forme. Dès qu'elle est bien écumée, ajouter le poireau, les carottes, les oignons piqués de clous de girofle, le céleri, le thym, les brins de persil, le laurier, 2 gousses d'ail en chemise. Ne presque pas saler. Laisser mijoter durant 2 heures 30 jusqu'à ce que la viande soit cuite.

Sortir la tête et la désosser. Peler la langue et mettre toutes ces viandes dans une terrine en les pressant durant la nuit. Le lendemain, couper la viande en gros dés.

Dégraisser le bouillon de cuisson de la tête de porc et le remettre sur le feu. Verser le vin blanc et laisser mijoter une quinzaine de minutes. Ajouter 1 oignon haché fin, ainsi que les cuillerées de persil et de cerfeuil hachés. Redonner quelques bouillons, mettre la tête de porc et la langue coupées en dés. Rectifier l'assaisonnement et verser dans des moules ronds ou rectangulaires. Laisser refroidir durant la nuit.

Le lendemain, démouler en trempant le moule dans l'eau chaude.

Couper en tranches et servir avec des cornichons au vinaigre ou avec une vinaigrette moutardée.

Remarque : si le bouillon de cuisson n'est pas assez gélatineux, ajouter quelques feuilles de gélatine trempées dans l'eau froide.

PÂTÉ CHAUD DE BÉCASSE

Ingrédients pour 4 personnes :

500 g de pâte feuilletée
2 bécasses
50 g de beurre
Sel, poivre
Porto
Cognac

Pour la farce :

200 g de porc
150 g de lard
1 jaune d'œuf
2 échalotes
100 g de foie gras
Sel, épices
1 truffe hachée
Les cuisses des bécasses désossées

Pour le fond :

1/2 bouteille de vin rouge
1/4 de litre de fond de volaille
1 oignon
2 carottes
1 branche de thym
2 tomates

Pour la marinade :

1 verre de porto
1/2 verre de cognac
Sel, épices

Plumer les bécasses, les flamber. Couper la tête. Couper les cuisses et les garder pour la farce. Lever les poitrines des bécasses, ôter la peau, ainsi que l'intestin. Couper les poitrines en gros dés et les faire mariner avec le porto, le cognac, sel, poivre et épices (environ 1 à 3 heures).

Pour la farce : passer à la grille fine le porc, le lard, la chair des cuisses et les intestins. Bien mélanger avec les échalotes hachées suées au beurre, le jaune d'œuf et le fond de la marinade. Saler et poivrer. Ajouter les poitrines de bécasses coupées en dés, la truffe hachée et le foie gras coupé en dés.

Faire la sauce (fond). Couper la carcasse des bécasses et la faire revenir dans le beurre. Laisser dorer. Ajouter l'oignon, les carottes, les 2 tomates, le thym. Mouiller avec le vin rouge et le fond de volaille. Laisser cuire 1 heure. Passer au chinois.

Étendre la pâte feuilletée. Y découper un disque de 20 cm de diamètre. Poser la farce. Remettre un autre disque de feuilletage légèrement plus grand. Souder les bords. Pratiquer une petite ouverture sur le couvercle. Dorer la pâte et la décorer avec des ronds de feuilletage. Faire cuire au four à 200° durant 20 minutes.

(Voir suite p. 65)

Feuilleté d'asperges aux morilles fraîches (recette p. 59).

Terminer le fond de bécasse. S'il n'est pas assez sirupeux, laisser encore réduire. Ajouter au dernier moment les morceaux de beurre bien froid, un à un.

Sortir le pâté de bécasse du four. Mettre dans l'ouverture la tête de la bécasse. Servir à part le fumet de bécasse.

Le même pâté chaud peut se faire avec canard sauvage, faisan ou chevreuil.

TOURTE DE LA VALLÉE

Ingrédients pour 6 personnes :

500 g de demi-feuilletage
400 g de porc (collet) + 200 g de veau (épaule)
1 petit pain, 20 g de beurre
1 oignon
1/4 de gousse d'ail
1 cuillerée à soupe de persil haché
1 œuf
Sel, poivre, 1 pointe de 4 épices
1 filet de cognac
1 jaune d'œuf pour dorer

Hacher grossièrement la viande et le petit pain trempé au lait.

Faire suer au beurre l'oignon et le mélanger à la farce, ainsi que le 1/4 de la gousse d'ail, les épices, l'œuf, la cuillerée de persil, le cognac. Saler et poivrer. Bien mélanger le tout.

Étendre la pâte en 2 abaisses, l'une étant un peu plus grande que l'autre (fond et couvercle).

Foncer un moule à tarte beurré avec 1 abaisse, la piquer avec une fourchette, Garnir avec la farce. Rabattre un peu la pâte et l'humecter avec un pinceau. Recouvrir avec l'autre abaisse en pressant bien les bords pour faire souder les deux pâtes. Pratiquer une ouverture au milieu (cheminée) pour faire évacuer la vapeur.

Dorer la tourte avec le jaune d'œuf. Décorer le dessus en rayant la pâte avec une fourchette. Cuire à four chaud durant 30 minutes.

PÂTÉ CHAUD PAYSAN

Ingrédients pour 8 à 10 personnes :

250 g de pâte brisée
250 g de pâte feuilletée
400 g de viande de porc (collet)
200 g de viande de veau (épaule)

Farce :

150 g de farce de porc (1/2 collet, 1/2 lard gras)
Sel épicé
2 foies de volaille
1 jaune d'œuf

Marinade :

1 oignon haché
1 cuillerée à soupe de persil
1/2 litre de riesling
Sel, poivre
1 branche de thym
1 pointe de 4 épices
1 jaune d'œuf pour la dorure

Préparer la marinade avec les ingrédients indiqués.

Couper la viande en lanières et la faire mariner durant 4 heures dans un endroit tempéré.

Égoutter la viande sur une passoire. Dans une terrine, mélanger la viande avec la farce (farce de porc, sel épicé, foies de volaille hachés, jaune d'œuf).

Étendre la pâte brisée en rectangle sur une plaque beurrée et poser la farce au milieu. Rabattre la pâte brisée sur la farce de façon à l'envelopper complètement. Souder les bords. Étendre la pâte feuilletée (le rectangle doit être plus grand que celui de la pâte brisée). Humecter avec un pinceau la pâte brisée. Recouvrir le tout de la pâte feuilletée en rabattant les bords sous le pâté. Bien appuyer pour souder les 2 pâtes.

Faire une ouverture en forme de cheminée (avec un petit carton roulé) sur le dessus du pâté. Décorer et dorer avec le jaune d'œuf.

Mettre à four chaud et cuire environ 40 minutes. Servir aussitôt en coupant des tranches.

POISSONS

TRUITE AU BLEU, BEURRE MOUSSEUX
TRUITE SAUMONÉE FARCIE A LA MOUSSE
   DE COQUILLES SAINT-JACQUES
BOUDIN DE BROCHET AUX LANGOUSTINES
BROCHET AU FOUR A LA FAÇON DE TANTE HENRIETTE
SAUMON SOUFFLÉ « AUBERGE DE L'ILL »
ZÉPHIRS DE SANDRE AU RIESLING
CARPE A LA BIÈRE FARCIE AUX FINES HERBES
FRITURE DE GOUJONS
MATELOTE D'ANGUILLES AU PINOT NOIR
TOURTE D'ANGUILLES AU BEURRE BLANC
MATELOTE D'ILLHAEUSERN AU RIESLING
SOLES AU PLAT « DES GOURMETS »
GOUJONNETTES DE FILETS DE SOLES AUX ARTICHAUTS
SOLE FARCIE « AUBERGE DE L'ILL »
FILETS DE SOLE CARDINAL
PAUPIETTES DE SOLES A L'OSEILLE
GOUJONNETTES DE SOLES ET HUÎTRES
   AU BEURRE DE BASILIC
MOUSSELINE DE SOLES ÉDOUARD WEBER
MÉDAILLON DE TURBOT « BELLE MARQUISE »
BLANC DE TURBOTIN A LA NAGE
   ET A LA JULIENNE DE LÉGUMES
BLANC DE SAINT-PIERRE AU PINOT NOIR
LOTTE RÔTIE AU FOUR AUX CHANTERELLES
MÉDAILLONS DE LOTTE ET LANGOUSTINES
   AUX PISTILS DE SAFRAN
FILETS ET MOUSSE DE ROUGET
   AU BEURRE DE GINGEMBRE
MÉDAILLONS DE COLIN AUX POIVRONS

TRUITE AU BLEU,
BEURRE MOUSSEUX

Ingrédients pour 4 personnes :

4 truites de 250 à 300 g
2 citrons, 2 cuillerées à soupe de vinaigre de vin
250 g de beurre, 1 bouquet de persil

Pour le court-bouillon :

2 litres d'eau
1 carotte
100 g de poireau
1 oignon
1 bouquet garni
1 clou de girofle
1/4 de litre de vin blanc
Coriandre
Poivre en grains
Sel, poivre
1/2 citron

Préparer un court-bouillon en mettant à bouillir 2 litres d'eau, le vin blanc, la carotte coupée en rondelles, l'oignon, le poireau, le bouquet garni, saler, poivrer, quelques tours de moulin de coriandre, les grains de poivre. Laisser bouillir 20 minutes et passer au chinois.

Vider et laver les truites en les touchant le moins possible. Les arroser du vinaigre et les mettre aussitôt dans le court-bouillon. Faire pocher sans faire bouillir durant 5 minutes.

Pendant la cuisson des truites, préparer le beurre mousseux. Faire ramollir le beurre et le battre au fouet durant 10 minutes. Il faut que le beurre devienne une crème mousseuse blanche. A ce moment, ajouter le jus de 1/2 citron, saler, poivrer et dresser en saucière.

Dresser les truites sur un plat recouvert d'une serviette et décorer avec les 2 citrons et un bouquet de persil. Servir aussitôt accompagné de quelques pommes vapeur et la saucière de beurre mousseux.

TRUITE SAUMONÉE FARCIE
A LA MOUSSE
DE COQUILLES SAINT-JACQUES

1 truite saumonée de 1,5 kg
4 échalotes
1/2 bouteille de riesling
1/4 de litre de crème double
170 g de beurre
1/2 citron
Sel, poivre
4 coquilles Saint-Jacques

Pour la mousse :

200 g de noix de coquilles Saint-Jacques avec corail
1/4 de litre de crème fleurette
1 blanc d'œuf
Sel et poivre

Pour la mousse : passer à la grille fine les noix de coquilles Saint-Jacques. Mettre dans un mixer, ajouter le blanc d'œuf, saler et poivrer. Mettre en marche et verser la crème peu à peu.

Farcir la truite saumonée avec la mousse de coquilles Saint-Jacques. Beurrer un plat. Poser la truite saumonée, saler, poivrer. Mettre les échalotes hachées. Ajouter le riesling et mettre au four 30 minutes en recouvrant le poisson avec un papier d'aluminium. Sortir la truite saumonée sur le plat de service et garder au chaud.

Enlever la peau de la truite d'un côté.

Faire réduire le fond de cuisson en y ajoutant la crème double, le restant de beurre en petits morceaux, le jus de citron. Rectifier l'assaisonnement. Verser la sauce sur la truite saumonée.

Garnir la truite avec 4 noix de coquilles Saint-Jacques sautées au beurre.

BOUDIN DE BROCHET
AUX LANGOUSTINES

Ingrédients pour 6 à 8 personnes :

300 g de chair de brochet
200 g de panade
200 g de beurre
2 œufs
1/4 de litre de crème
Sel, poivre, muscade
150 g de mie de pain

Pour les langoustines :
24 langoustines
1 tasse de sauce américaine
1/4 de litre de crème
1 filet de cognac
200 g de beurre
2 échalotes, sel, poivre

Pour la panade :
1/2 litre de lait
Sel
5 jaunes d'œufs
50 g de beurre
150 g de farine
Comme une pâte à choux

Préparer la panade avec les ingrédients indiqués.

Passer la chair au hachoir et mettre au mixer avec les œufs. Saler, poivrer et ajouter une pointe de muscade. Verser la crème peu à peu, puis la panade et le beurre ramolli. Assaisonner.

Avec cette farce former un boudin. L'envelopper dans un papier sulfurisé et un papier d'aluminium. Le ficeler et le pocher durant 40 minutes, sans faire bouillir, dans un fond blanc ou fumet de poissons.

Laisser refroidir le boudin et le couper en tranches.

Tremper les tranches dans du beurre fondu et la mie de pain fraîche.

Mettre un morceau de beurre dans une poêle. Dès qu'il commence à mousser, placer les tranches de boudin de brochet et les dorer des 2 côtés. Les sortir et les garder au chaud.

Décortiquer à cru les queues de langoustines.

Dans une sauteuse, faire suer au beurre les échalotes hachées. Mettre les langoustines. Les saisir rapidement en les laissant légèrement croquantes (5 minutes), les sortir et les garder au chaud.

Déglacer avec le cognac, la crème et la sauce américaine. Laisser réduire et monter la sauce avec le beurre restant. Relever d'une pointe de cayenne. Mettre les queues de langoustines. Rectifier l'assaisonnement et donner un bouillon.

Disposer les queues de langoustines sur un plat chaud. Napper le plat avec la sauce et poser dessus les tranches de boudin de brochet.

On peut remplacer les langoustines par des crevettes.

BROCHET AU FOUR A LA FAÇON DE TANTE HENRIETTE

Ingrédients pour 4 personnes :

1 brochet de 1,5 kg (ou un sandre)
100 g d'oignons
50 g de persil
50 g de beurre
1 bol de crème double
1/4 de bouteille de riesling
1 louche de bouillon
60 g de mie de pain fraîche
Sel, poivre
2 échalotes, cerfeuil
1/2 citron

Écailler et vider votre brochet, le laver.

Préparer la farce. Faire ramollir le beurre et y ajouter les oignons et le persil hachés, ainsi que la mie de pain.

Beurrer un plat allant au four. Le parsemer d'échalotes hachées. Poser le brochet, le saler, le poivrer et le recouvrir de la farce à mie de pain. Mettre au four à découvert.

Après 5 minutes de cuisson, mouiller avec le bouillon et le riesling. Laisser cuire 20 minutes en arrosant assez fréquemment.

Retirer le poisson sur le plat de service (le brochet doit avoir une belle croûte dorée).

Déglacer le plat de cuisson avec le bol de crème double, un filet de citron. Rectifier l'assaisonnement, ajouter le cerfeuil haché et verser la sauce autour du brochet.

SAUMON SOUFFLÉ
« AUBERGE DE L'ILL »

Ingrédients pour 8 personnes :

1 saumon de 2 kg
150 g de beurre
1/4 de litre de fumet de poissons
1/2 bouteille de riesling
4 échalotes
1/4 de litre de crème
1/2 citron
Sel et poivre

8 fleurons en feuilletage

Pour la farce :

250 g de chair de brochet
1/4 de litre de crème
2 œufs + 2 jaunes
2 blancs en neige
Sel, poivre, muscade

Mettre le saumon en filets ou le faire faire par votre poissonnier. Couper les filets en 8 médaillons.

Pour la farce : passer à la grille fine (moulinette) la chair de brochet, la mettre dans le mixer. Ajouter les œufs (2 œufs entiers + 2 jaunes), saler, poivrer et ajouter la pointe de muscade (très peu). Mettre en marche et verser la crème peu à peu.

Sortir la farce dans un bol. La garder au froid. Battre les blancs en neige et les mélanger délicatement à la farce bien froide.

Recouvrir les médaillons avec la farce en forme de dôme.

Placer les médaillons de saumon dans un plat beurré, salé et parsemé d'échalotes hachées. Mouiller avec le riesling et le fumet de poissons et mettre au four. Laisser mijoter durant 15 à 20 minutes. Sortir le saumon sur un plat de service. Réserver au chaud.

Verser le fond de cuisson dans une sauteuse, ajouter la crème et laisser réduire. Monter la sauce avec le beurre bien froid en petits morceaux. Ajouter le jus de citron. Rectifier l'assaisonnement et verser la sauce *autour* du saumon. Décorer avec les fleurons en feuilletage.

Saumon soufflé « Auberge de l'Ill ».

ZÉPHIRS DE SANDRE AU RIESLING

Ingrédients pour 4 personnes :

2 sandres de 600 g
4 œufs
300 g de beurre
1/4 de litre de crème double
1/2 citron
2 tomates
1 cuillerée de persil haché
250 g de champignons
1/2 litre de fumet de poissons
2 échalotes
1 bouteille de riesling
Sel, poivre

Mettre les sandres en filets et garder les arêtes pour faire le fumet de poissons. Enlever la peau de la chair.

Pour les zéphirs, faire réduire à glace le fumet de poissons. Mélanger à la glace de poissons 4 jaunes d'œufs et la monter avec 200 g de beurre ramolli, comme une sauce hollandaise. Fouetter les 4 blancs en neige et mélanger délicatement à la sauce montée au beurre.

Beurrer de petits moules à ramequin. Y verser l'appareil ci-dessus et faire cuire au bain-marie durant 30 minutes au four doux à 180° — poser un papier dans le plat du bain-marie afin d'éviter toute ébullition.

Ébouillanter les tomates, les peler, les couper en 2 pour enlever les pépins et puis les couper en petits dés.

Sur un plat beurré, mettre les échalotes hachées, les champignons de Paris émincés et les dés de tomates. Poser les filets de sandres, saler, poivrer et mouiller avec le riesling. Recouvrir avec un papier d'aluminium. Faire pocher au four durant 10 minutes.

Sortir les filets sur un plat de service ainsi que les champignons et les dés de tomates. Tenir au chaud. Dans une sauteuse, passer la cuisson au chinois, ajouter la crème double et laisser réduire de moitié. Monter la sauce avec le beurre restant et ajouter le jus de citron. Rectifier l'assaisonnement.

Démouler les zéphirs et les dresser autour des filets de sandres. Napper les filets avec la sauce et saupoudrer de persil haché.

CARPE A LA BIÈRE
FARCIE AUX FINES HERBES

1 carpe de 2 kg avec la laitance
2 bouteilles de bière de 33 cl
4 échalotes
1 tasse de fumet de poissons
2 tomates
200 g de beurre
50 g de pain d'épice nature (sans sucre glace)
1 cuillerée de persil haché
(On peut remplacer les dés de tomates par des poivrons)

Pour la farce :

100 g de mie de pain
50 g de pain d'épice nature
1/10 de litre de lait
3 jaunes d'œufs
50 g de beurre
50 g de champignons hachés et sués au beurre
1 cuillerée à soupe de ciboulette et de cerfeuil haché
1 cuillerée à soupe de persil haché
1 pincée de 4 épices
Sel, poivre

Écailler et vider la carpe (garder la laitance), la sécher sur un torchon, la saler et la poivrer.

Faire la farce : mettre dans une terrine la mie de pain et le pain d'épice trempés au lait, le beurre ramolli, les champignons, les jaunes d'œufs, les fines herbes, ainsi que la laitance de la carpe. Saler, poivrer, ajouter les 4 épices et bien mélanger le tout.

Farcir la carpe et la placer dans un plat beurré parsemé d'échalotes hachées. La badigeonner de beurre fondu. Mouiller avec la bière et le fumet de poissons. Recouvrir d'un papier d'aluminium et mettre au four. Temps de cuisson : 35 minutes. Arroser fréquemment.

Ébouillanter les tomates, enlever la peau et les couper en deux. Sortir les pépins, les couper en dés.

Sortir la carpe et la dresser sur un plat de service chaud.

Verser le jus de cuisson dans une sauteuse et faire réduire. Ajouter les dés de pain d'épice et les tomates. Monter la sauce avec le beurre restant. Rectifier l'assaisonnement et napper la carpe avec la sauce. Saupoudrer de persil haché.

Vous pouvez remplacer les dés de tomates par des dés de poivrons rouges et verts. À ce moment-là, il faut relever la sauce avec 1 cuillerée à soupe de paprika.

FRITURE DE GOUJONS

Ingrédients pour 4 personnes :

1 kg 250 de goujons
100 g de semoule de blé
1/4 de litre de lait
2 citrons
Persil
Sel et poivre
Huile pour friture

Écailler et vider les goujons, les laver et les sécher sur un linge.

Tremper les goujons dans le lait et les rouler dans la semoule.

Faire chauffer votre friture à 180°. Frire les goujons jusqu'à ce qu'ils soient bien croustillants. Les égoutter et les servir sur une serviette garnie de persil et de 4 demi-citrons.

Accompagner les goujons d'une sauce mayonnaise à laquelle on aura ajouté la ciboulette et 1 cuillerée à soupe de crème Chantilly, afin de rendre la sauce plus légère.

MATELOTE D'ANGUILLES
AU PINOT NOIR

Ingrédients pour 4 personnes :

2 anguilles de 800 g à 1 kg
1 bouteille de pinot noir
200 g de champignons de Paris
30 petits oignons grelots
2 oignons
1 bouquet garni
300 g de beurre
2 gousses d'ail

1 verre de cognac
1/4 de litre de fumet de poissons
Sel, poivre
80 g de farine
100 g de pain de mie
1 cuillerée à soupe de persil haché
Pain de mie

Dépouiller les anguilles, les vider et les couper en morceaux. Les mettre à mariner durant 4 heures avec le vin rouge, le cognac, l'oignon, le bouquet garni et les gousses d'ail écrasées.

Sortir les morceaux de poissons de la marinade, les égoutter. Mettre un morceau de beurre dans un sautoir et, dès qu'il commence à mousser, mettre les morceaux d'anguilles et les aromates ; faire suer en remuant constamment avec une spatule. Mouiller avec la marinade et le fumet de poissons, à hauteur. Saler et poivrer. Couvrir et laisser mijoter durant 15 minutes.

Pendant ce temps, faire suer au beurre les champignons et les petits oignons grelots.

Sortir les morceaux d'anguilles et les disposer sur un plat de service, les garder au chaud.

Dégraisser la cuisson des anguilles.

Faire un roux avec 50 g de beurre et 80 g de farine. Le cuire ; lorsqu'il est légèrement noisette, verser le fond de cuisson en fouettant. Laisser mijoter une dizaine de minutes.

Passer la sauce au chinois et la monter avec le beurre restant. Rectifier l'assaisonnement. Ajouter les champignons et les petits oignons grelots. Verser la sauce sur les morceaux d'anguilles, décorer avec des croûtons de pain de mie sautés au beurre et parsemer de persil haché.

TOURTE D'ANGUILLES
AU BEURRE BLANC

Ingrédients pour 6 personnes :

1 anguille de 1 kg
4 échalotes
40 g de beurre
1/4 de litre de vin blanc
Sel et poivre
300 g de pâte feuilletée
Beurre blanc
100 g de champignons de Paris
1 jaune d'œuf pour dorer

Pour la farce :

250 g de brochet
2 œufs + 2 jaunes
1/4 de litre de crème
Sel, poivre, muscade
2 cuillerées à soupe de fines herbes hachées (persil-cerfeuil)
2 crêpes du diamètre de la tourte, très minces

Dépouiller l'anguille et la mettre en filets. Couper les filets en gros dés et les faire mariner au vin blanc durant la nuit.

Faire la farce à brochet (comme indiqué pour le saumon sans les 2 blancs en neige) et la mélanger avec les champignons hachés et sués au beurre, ainsi que les fines herbes.

Égoutter les dés d'anguille sur une passoire et les faire suer au beurre avec les échalotes hachées. Laisser refroidir.

Étendre la pâte feuilletée en 2 abaisses (fond et couvercle).

Foncer une tourtière avec une abaisse de pâte feuilletée, poser une crêpe et la masquer d'une couche de farce. Mettre les dés d'anguille et recouvrir d'une couche de farce. Finir avec l'autre crêpe. Replier les bords ; badigeonner avec un peu d'eau. Couvrir avec l'autre abaisse de feuilletage en pressant bien les bords pour les souder. Faire une cheminée au milieu. Dorer avec un jaune d'œuf. Faire quelques motifs avec le dos d'un couteau d'office. Cuire au four durant 30 minutes (220°).

Accompagner la tourte d'un beurre blanc.

MATELOTE D'ILLHAEUSERN AU RIESLING

Ingrédients pour 6 à 8 personnes :

Pour faire une bonne matelote, il faut plusieurs sortes de poissons, dont l'anguille est indispensable. Il faut compter à peu près 300 g de poissons par personne.

1 anguille de 1 kg
500 g de brochet
1 perche de 200 g
1 tanche de 300 g
2 truites de 400 g
1 bouteille de riesling
200 g de champignons de Paris frais
1/4 de litre de crème
1 cuillerée à soupe de persil haché
2 jaunes d'œufs
125 g de beurre
Sel, poivre, 1 filet de citron
200 g de pâte feuilletée
4 échalotes, 80 g de farine,
1 pointe de muscade

Pour le court-bouillon :

1 poireau
1 carotte
1 oignon
1/4 de feuille de laurier
1 branche de thym
1/2 gousse d'ail
1 branche d'estragon

Dépouiller l'anguille et écailler les poissons, les vider et les laver. Enlever les nageoires, puis les couper en morceaux.

Pour faire le court-bouillon, couper les légumes en morceaux et mouiller avec 1,5 litre d'eau. Ajouter les têtes des poissons, le thym, le laurier, l'estragon, l'ail. Faire bouillir durant 30 minutes, passer au chinois et garder en réserve.

Dans une casserole, faire fondre au beurre les échalotes hachées. Mouiller avec la bouteille de riesling et 1 litre de court-bouillon. Saler, poivrer et faire bouillir. Ajouter en premier les morceaux d'anguille dont la cuisson est plus longue. Laisser cuire 5 minutes, puis ajouter, dans l'ordre, les brochets et les tanches, ensuite les perches et les truites. Saler et poivrer et laisser mijoter en tout 15 minutes.

Découper des fleurons en demi-lune dans la pâte feuilletée et les cuire au four à 200°.

Faire sauter au beurre les champignons émincés.

Durant la cuisson des poissons, faire un roux avec 50 g de beurre et 80 g de farine. Laisser cuire ce roux durant 5 minutes et le laisser refroidir.

Verser sur ce roux la cuisson des poissons en remuant avec un fouet. Laisser mijoter une dizaine de minutes. Lier la sauce avec une liaison faite avec les 2 jaunes d'œufs et la crème. Ne plus faire bouillir. Rectifier l'assaisonnement, ajouter le filet de citron, 1 pointe de muscade, les champignons de Paris et la cuillerée de persil haché.

Dresser les poissons sur un plat et les napper avec la sauce. Décorer avec les fleurons. Servir accompagné de nouilles fraîches.

SOLES AU PLAT « DES GOURMETS »

Ingrédients pour 4 personnes :

2 grosses soles de 800 g
12 queues de langoustines
8 noix de coquilles Saint-Jacques
200 g de champignons de Paris
200 g de beurre
1 verre de champagne brut

2 cuillerées à soupe de sauce
  américaine
Sel, poivre de Cayenne
150 g de mie de pain

Préparer la sole pour la farcir. Enlever la peau noire, sectionner la moitié de la tête. Pratiquer une incision tout le long de l'arête et l'ouvrir en portefeuille. Ôter l'arête en ayant soin que les filets du dessous demeurent accolés.

Préparer le salpicon. Faire suer au beurre une douzaine de queues de langoustines coupées en ronds, 8 noix de coquilles Saint-Jacques coupées en 2 et les champignons de Paris émincés (3 minutes). Mouiller avec le champagne et lier avec 2 cuillerées à soupe de sauce américaine. Saler et relever avec 1 pointe de Cayenne.

Ouvrir les 2 filets de la sole et la farcir avec le salpicon. Replier les filets sur la farce, les enduire de beurre et les paner avec de la mie de pain fraîche.

Poser les soles sur un plat, saler, poivrer. Les arroser de beurre et les cuire au four à feu doux en les arrosant très souvent. Dès que les soles ont obtenu une belle couleur blonde, les sortir sur un plat de service et les servir aussitôt.

GOUJONNETTES DE FILETS DE SOLES AUX ARTICHAUTS

Ingrédients pour 4 personnes :

2 soles de 800 g
4 artichauts
4 pommes de terre
100 g de beurre
1 citron
1 cuillerée à soupe de persil et cerfeuil hachés
Sel, poivre
1 saucière de sauce Choron
2 cuillerées à soupe d'huile, un peu de farine, un peu d'estragon

Mettre les soles en filets, les laver et les sécher sur un torchon. Les couper en goujonnettes (c'est-à-dire en biais dans le sens de la largeur).

Effeuiller les artichauts en ne gardant que les fonds. Les citronner et les couper en dés.

Éplucher les pommes de terre, les laver, les sécher et les couper en dés.

Faire sauter au beurre les pommes de terre et à l'huile les fonds d'artichauts ; les saler et les poivrer.

Fariner les goujonnettes de soles, les saler et les poivrer.

Mettre un morceau de beurre dans une poêle. Dès qu'il commence à mousser, mettre les goujonnettes et les dorer des 2 côtés. A ce moment, ajouter les pommes de terre et les artichauts. Les mélanger et les dresser sur un plat chaud. Les saupoudrer du persil et du cerfeuil hachés.

Servir à part une sauce Choron très légère avec 1 pincée d'estragon.

Filets de sole cardinal (recette p. 82).

SOLE FARCIE « AUBERGE DE L'ILL »

Ingrédients pour 4 personnes :

2 soles de 800 g chacune
4 fleurons en feuilletage
150 g de filets de saumon
1/4 de litre de riesling
1/4 de litre de fumet de poissons
4 échalotes
Sel, poivre, muscade
Le jus de 1/2 citron
200 g de beurre
1 tasse de crème
4 lames de truffe, 4 fleurons

Pour la farce :

100 g de filets de merlan
1 blanc d'œuf
1/4 de litre de crème
50 g de pistaches
Sel, poivre, muscade

Préparer la sole : enlever la peau noire, sectionner la moitié de la tête. Pratiquer une incision tout le long de l'arête et l'ouvrir en portefeuille. Ôter l'arête en ayant soin que les filets du dessous demeurent attachés.

Pour la farce : mettre dans le mixer les filets de merlan, le blanc d'œuf, le sel, le poivre et la pointe de muscade. Mettre le mixer en marche. Verser la crème très froide peu à peu et sortir la farce du mixer.

Dans une terrine, mélanger la farce avec les filets de saumon coupés en dés et les pistaches hachées. Ouvrir les soles et les farcir. Replier les filets. Saler et poivrer.

Poser les soles dans un plat beurré allant au four. Parsemer d'échalotes hachées. Mouiller avec le riesling et le fumet de poissons. Recouvrir d'un papier d'aluminium et mettre au four durant 25 minutes.

Sortir les soles sur un plat de service et les garder au chaud.

Mettre la cuisson dans une sauteuse, ajouter la crème et laisser réduire de moitié. Monter cette sauce en ajoutant le beurre petit à petit. Ajouter le jus de citron et rectifier l'assaisonnement. Verser cette sauce sur les soles. Décorer avec 4 lames de truffe lustrées au beurre et des fleurons.

FILETS DE SOLE CARDINAL

Photo page 80

Ingrédients pour 4 personnes :

2 soles de 800 g
8 lames de truffe
100 g de beurre
1/4 de litre de riesling
1 bol de crème
100 g de beurre d'écrevisses
1/4 de litre de fumet de poissons
4 échalotes
1 filet de cognac

Pour la farce :

24 écrevisses
100 g de filets de merlan
1/4 de litre de crème
1 blanc d'œuf
Sel, poivre

Mettre les soles en filets (ou le faire faire par votre poissonnier).

Cuire les écrevisses au court-bouillon et les décortiquer. Réserver 8 belles têtes.

Pour la farce : mettre au mixer les filets de merlan, le blanc d'œuf, saler, poivrer et mettre le mixer en marche. Ajouter la crème très froide, peu à peu. Sortir la farce dans un bol.

Sécher les filets de soles et les aplatir légèrement. Farcir les soles avec une poche à douille ronde, ainsi que les têtes d'écrevisses. Plier les soles en 2 et placer devant les têtes d'écrevisses en les enfonçant.

Poser les soles sur un plat beurré. Parsemer le plat d'échalotes hachées, saler et poivrer. Mouiller avec le riesling et le fumet de poissons. Recouvrir d'un papier d'aluminium et mettre au four chaud durant 10 minutes.

Sortir les soles sur un plat de service, tenir au chaud.

Verser la cuisson des soles dans une sauteuse avec la crème et laisser réduire de moitié.

Faire revenir les queues d'écrevisses dans une noix de beurre d'écrevisses. Déglacer avec un filet de cognac.

Monter la sauce au beurre d'écrevisses en l'ajoutant petit à petit. Rectifier l'assaisonnement, ajouter les queues d'écrevisses et verser la sauce sur les filets de soles.

Décorer les filets de soles avec une lame de truffe lustrée au beurre.

PAUPIETTES DE SOLES
A L'OSEILLE

Ingrédients pour 4 personnes :

2 soles de 600 g
8 pommes de terre
2 échalotes hachées
1/4 de litre de vin blanc
1/2 verre de Noilly-Prat ou vermouth sec
1/4 de litre de fumet de poissons
150 g de beurre
Sel, poivre
200 g d'oseille
1/2 citron

Purée de champignons :

500 g de champignons   8 beaux champignons
1 tasse de crème   Sel, poivre
50 g de beurre

Lever les filets des soles, les parer et les aplatir légèrement. Les rouler en bouchon sur une pomme de terre en les fixant avec un pique en bois. Les saler et les poivrer. (Les pommes de terre ne servent qu'à donner une forme aux paupiettes.)

Les placer dans un plat beurré, saupoudrer d'échalotes hachées. Mouiller avec le vin blanc, le Noilly-Prat et le fumet de poissons. Les recouvrir d'un papier d'aluminium et mettre à cuire au four durant 10 minutes.

Préparer la purée de champignons : hacher les champignons et les suer au beurre. Ajouter la crème, saler, poivrer et laisser réduire (si besoin, ajouter 2 cuillerées à soupe de sauce Béchamel).

Sortir les paupiettes sur un plat, ôter les pommes de terre et garder les paupiettes au chaud.

Verser la cuisson dans une sauteuse avec la crème et faire réduire de moitié.

Laver et ciseler l'oseille. Remplir les paupiettes avec la purée de champignons, décorer le dessus avec une tête de champignon tournée.

Ajouter l'oseille à la sauce et la monter au beurre. Mettre le jus de citron et rectifier l'assaisonnement. Napper les paupiettes.

GOUJONNETTES DE SOLES
ET HUÎTRES AU BEURRE DE BASILIC

Ingrédients pour 4 personnes :

2 soles de 800 g chacune
24 huîtres portugaises
150 g de beurre
1/4 de litre de riesling
1/4 de litre de fumet de poissons
2 branches de basilic
2 échalotes
1/2 citron
Sel, poivre

Lever les filets des soles ou les faire lever par votre poissonnier. Les parer. Les couper en biais dans le sens de la longueur, de la grandeur d'un petit goujon.

Ouvrir les huîtres et garder l'eau.

Dans une sauteuse, faire suer au beurre les échalotes hachées. Mouiller avec le riesling, le fumet de poissons et l'eau des huîtres. Saler, poivrer. Mettre les goujonnettes de soles et laisser mijoter 5 minutes.

Sortir les goujonnettes du fond de cuisson et les garder au chaud. Ajouter le basilic coupé et laisser réduire de moitié. Monter au beurre et ajouter un filet de jus de citron. Rectifier l'assaisonnement. Mettre les huîtres et donner 1 bouillon à la sauce.

Dresser les goujonnettes et les huîtres dans un plat creux. Napper avec la sauce.

MOUSSELINE DE SOLES
ÉDOUARD WEBER

Ingrédients pour 6 personnes :

1 sole de 800 g
12 langoustines
200 g de filets de brochet
2 blancs d'œufs
1/2 litre de crème
1/4 de litre de vin blanc
1/4 de litre de fumet de poissons
1 bol de crème
100 g de beurre de homard
100 g de beurre

2 échalotes
Sel, poivre, muscade
Un peu de tomate concassée

Faire une farce de brochet (voir recette du saumon soufflé) en mettant dans le mixer les 200 g de filets de brochet, les 2 blancs d'œufs et, peu à peu, le 1/2 litre de crème très froide, le sel, le poivre, la muscade.

Mettre la sole en filets et l'émincer en fines lamelles.

Avec les arêtes de la sole, faire un fumet de poissons.

Décortiquer les queues de langoustines à cru.

Dans une sauteuse, faire suer au beurre les échalotes hachées, mouiller avec le vin blanc et le fumet de poissons ; saler et poivrer. Ajouter les lamelles de sole et les queues de langoustines coupées en gros dés. Temps de cuisson : 2 minutes. Sortir les soles et les langoustines, les égoutter et les mettre dans un bol.

Ajouter au fond de cuisson le bol de crème et faire réduire de moitié. Monter la sauce au beurre de homard et au beurre restant. Rectifier l'assaisonnement. Lier les soles et les queues de langoustines avec 4 cuillerées à soupe de cette sauce.

Beurrer de petits moules à ramequin. Avec une poche à douille ronde, masquer les parois des moules avec la farce de brochet. Remplir avec les soles et les langoustines et recouvrir avec une couche de farce.

Placer les ramequins dans un bain-marie et mettre au four durant 15 minutes.

Démouler les mousselines sur un plat et napper avec la sauce. Décorer avec une pointe de tomate concassée.

MÉDAILLON DE TURBOT
« BELLE MARQUISE »

Ingrédients pour 4 personnes :

1 turbot de 2 kg

Pour la farce :

100 g de chair de saumon
1 blanc d'œuf
100 g de crème
Sel, poivre, muscade

Pour la sauce :

2 échalotes
1/4 de litre de crème double
100 g de beurre
1/2 citron
1/4 de litre de riesling
1/4 de litre de fumet de poissons
Sel, poivre

Faire mettre le turbot en filets par votre poissonnier. Le couper en 4 médaillons. Prendre un petit couteau et inciser chaque médaillon dans toute l'épaisseur.

Préparer la mousse de saumon : mettre la chair de saumon dans le mixer, ajouter le blanc d'œuf, saler, poivrer et ajouter la muscade râpée. Mettre le mixer en marche et verser lentement la crème très froide.

Farcir les médaillons avec cette mousse légère. Beurrer un plat allant au four, le parsemer avec les échalotes hachées. Placer les médaillons de turbot farcis, les saler et les poivrer. Mouiller avec le riesling et le fumet de poissons. Recouvrir avec un papier d'aluminium et mettre au four durant 15 minutes.

Après la cuisson, retirer les médaillons de turbot sur un plat et les garder au chaud.

Pour la sauce : verser le fond de cuisson dans une sauteuse, ajouter la crème double. Laisser réduire de moitié et monter la sauce avec le restant de beurre bien froid, coupé en petits morceaux. Ajouter le jus de citron. Rectifier l'assaisonnement et verser la sauce sur les médaillons de turbot.

BLANC DE TURBOTIN A LA NAGE
ET A LA JULIENNE DE LÉGUMES

Ingrédients pour 4 personnes :

1 turbotin de 2 kg
2 échalotes
1/4 de litre de riesling
1/4 de fumet de poissons
1 dl de crème
150 g de beurre
Sel, poivre

Pour la julienne de légumes :

2 carottes
2 blancs de poireaux
1 petit morceau de céleri
100 g de haricots verts
1 cuillerée à soupe de persil et de cerfeuil hachés
Sel, poivre
1/2 jus de citron

Mettre le turbotin en filets. Enlever la peau.

Couper les légumes en julienne et les cuire individuellement dans l'eau salée. Les faire rafraîchir dans l'eau froide et les égoutter.

Dans une sauteuse, faire suer au beurre les échalotes hachées. Mouiller avec le riesling et le fumet de poissons. Mettre les filets de turbotin et cuire sans faire bouillir durant 10 minutes.

Sortir les filets de turbotin et les garder au chaud sur le plat de service. Dans la sauteuse, ajouter la crème et laisser réduire la cuisson de moitié. Hors du feu, monter la sauce au beurre par petits morceaux. Ajouter la julienne de légumes et le jus de citron. Rectifier l'assaisonnement. Verser la sauce avec la julienne de légumes sur les filets de turbotin et parsemer de persil et de cerfeuil hachés.

BLANC DE SAINT-PIERRE
AU PINOT NOIR

Ingrédients pour 4 personnes :

2 saint-pierre de 1 kg
1/2 bouteille de pinot noir d'Alsace
3 échalotes
200 g de champignons de Paris
150 g de beurre
16 petits oignons grelots
Sel, poivre
2 cuillerées à soupe de fond de veau
1 tasse de fumet de poissons
1 pincée de sucre

Mettre les saint-pierre en filets et enlever la peau.

Beurrer un plat allant au four et parsemer avec les échalotes hachées et les champignons de Paris coupés en lamelles. Poser les filets de saint-pierre, mouiller avec le pinot noir et le fumet de poissons, saler et poivrer. Recouvrir d'un papier d'aluminium et mettre au four chaud, temps de cuisson : 10 minutes.

Dresser les filets de saint-pierre avec les champignons sur un plat de service et les garder au chaud.

Dans une sauteuse, mettre une noix de beurre et les petits oignons grelots. Saler et ajouter 1 pincée de sucre. Mouiller avec de l'eau à hauteur des oignons et laisser cuire jusqu'à ce que le fond soit sirupeux.

Laisser réduire le fond de cuisson des saint-pierre, ajouter les 2 cuillerées de fond de veau et monter la sauce avec le reste de beurre froid par petits morceaux. Rectifier l'assaisonnement. Ajouter les oignons grelots et verser la sauce sur les filets de saint-pierre.

LOTTE RÔTIE AU FOUR
AUX CHANTERELLES

Ingrédients pour 4 personnes :

1 lotte de 1,5 kg
Sel, poivre
4 échalotes
1/4 de litre de vin blanc sec
1/8 de litre de crème
1/8 de litre de sauce américaine
1 cuillerée à soupe de persil haché
250 g de chanterelles
50 g de beurre de homard
100 g de beurre

Dépouiller la lotte, couper la queue, la maintenir en forme avec quelques tours de ficelle. Saler et poivrer et l'enduire de beurre de homard. La poser dans une cocotte et la mettre au four sans couvrir. L'arroser très souvent pour que le poisson devienne brillant. A mi-cuisson, ajouter les échalotes hachées et mouiller avec 1/4 de litre de vin blanc. Mettre le couvercle et terminer la cuisson (en tout, 20 minutes).

Sortir la lotte du four, enlever la ficelle. La dresser sur un plat de service et la garder au chaud.

Laver les chanterelles et les faire sauter au beurre, les réserver au chaud.

Verser le fond de cuisson de la lotte dans une sauteuse, ajouter la crème et la sauce américaine et laisser réduire. Monter la sauce au beurre par petits morceaux. Rectifier l'assaisonnement et ajouter les chanterelles et le persil haché. Verser la sauce autour de la lotte.

Servir avec du riz pilaf.

MÉDAILLONS DE LOTTE
ET LANGOUSTINES
AUX PISTILS DE SAFRAN

Ingrédients pour 4 personnes :

1 lotte de 1 kg
20 pièces de grosses langoustines
2 échalotes hachées
200 g de champignons de Paris
1/4 de litre de vin blanc
1/4 de litre de crème double
150 g de beurre
16 filaments de safran
1 cuillerée à soupe de persil haché
Sel, poivre

Enlever la peau noire de la lotte et la mettre en filets. Couper 8 petits médaillons.

Décortiquer les queues de langoustines à cru.

Dans un plat beurré allant au four, mettre les échalotes hachées, les champignons émincés et poser les médaillons de lotte que vous aurez parsemés des filaments de safran. Saler, poivrer et mouiller avec le vin blanc. Recouvrir avec un papier aluminium et laisser mijoter au four durant 15 minutes (four à 200º). 5 minutes avant la fin de la cuisson, ajouter les queues de langoustines (on peut également les cuire à part et ajouter le fond de cuisson à la sauce). Il faut que les langoustines restent un peu croquantes.

Sortir les médaillons de lotte, les queues de langoustines ainsi que les champignons sur un plat de service. Les garder au chaud.

Passer le fond de cuisson au chinois, le mettre dans une sauteuse, ajouter la crème double et laisser réduire de moitié. Ajouter peu à peu le beurre en petits morceaux. Rectifier l'assaisonnement. Napper les médaillons de lotte et de langoustines avec la sauce. Parsemer de persil haché.

FILETS ET MOUSSE DE ROUGET
AU BEURRE DE GINGEMBRE

Ingrédients pour 4 personnes :

4 rougets de 400 g (2 pour les filets, 2 pour la mousse)
2 dl de vin blanc
2 échalotes hachées
1 racine de 20 g de gingembre
1/2 tasse de crème
150 g de beurre

Mousse :

1/4 de litre de crème
1 œuf
Sel et poivre
1 cuillerée à soupe de persil haché

Mettre les rougets en filets. Réserver 4 filets avec la peau. Aux 4 autres filets qui serviront à confectionner la mousse, enlever la peau rougeâtre et mettre la chair dans le mixer (200 g environ) avec l'œuf, le sel, le poivre et malaxer durant 4 minutes. Ajouter la crème très froide peu à peu, afin que la mousse devienne onctueuse.

Mettre cette mousse dans 4 petits moules beurrés et cuire au bain-marie au four à chaleur douce durant 20 minutes (four 150°).

Couper en 2 les 4 autres filets dont on aura laissé la peau. Dans une sauteuse, faire suer au beurre les échalotes hachées, mettre les filets de rougets. Mouiller avec le vin blanc et ajouter le gingembre râpé. Laisser mijoter 5 minutes sans faire bouillir. Sortir les filets de la sauteuse et les garder au chaud.

Verser la crème dans la sauteuse, laisser réduire le fond de cuisson de moitié et ajouter 100 g de beurre en petits morceaux (il faut que le beurre soit froid). Rectifier l'assaisonnement.

Sortir les mousselines des moules et dresser chacune sur une assiette chaude. Placer autour les filets de rougets, côté peau au-dessus. Napper ces derniers avec la sauce au beurre de gingembre. Parsemer de persil haché.

MÉDAILLONS DE COLIN AUX POIVRONS

Ingrédients pour 4 personnes :

1 colin de 1,5 kg
1/2 poivron rouge
1/4 de poivron vert
200 g de beurre
1 cuillerée à soupe de farine
Sel, poivre
1/2 citron
1/2 tasse de crème

Mettre le colin en filets, les laver et les sécher sur un torchon. Tailler 8 petits médaillons ; les saler, les poivrer et les fariner.

Poser les poivrons sur une plaque et les mettre au four très chaud durant 5 minutes ou les tremper quelques minutes dans la friture chaude. Les éplucher.

Avec les déchets, les arêtes du colin et les ingrédients habituels, faire un fumet qu'on laissera réduire jusqu'à ce qu'il ne reste plus que la valeur de 1/2 tasse (glace).

Dans une poêle, mettre un morceau de beurre. Dès qu'il commence à mousser, placer les médaillons de colin. Les dorer des 2 côtés.

Faire fondre le beurre.

Verser la glace (réduction du fumet) de poissons très chaude dans le mixer, ainsi que le poivron rouge. Faire tourner à grande vitesse et, à ce moment-là, ajouter le beurre fondu, peu à peu (comme une mayonnaise).

Sortir la sauce du mixer dans une petite casserole. La remettre sur le feu. Ajouter la crème et le poivron vert coupé en petits dés, ainsi que le jus de citron. Rectifier l'assaisonnement et verser la sauce sur un plat. Placer dessus les médaillons de colin.

Coquilles Saint-Jacques aux courgettes et au thym (recette p. 94).

CRUSTACÉS, COQUILLAGES, GRENOUILLES

COQUILLES SAINT-JACQUES AUX COURGETTES ET AU THYM
COQUILLES SAINT-JACQUES A LA FONDUE DE TOMATE
COQUILLES SAINT-JACQUES A LA JULIENNE DE LÉGUMES
   ET TRUFFES
GRATIN DE MOULES AU SAFRAN
MOUSSELINE DE GRENOUILLES
GRENOUILLES AU RIESLING
CASSOLETTES DE QUEUES D'ÉCREVISSES A LA BOURGEOISE
HOMARD AU CHAMPAGNE SUR UNE CHIFFONNADE
   DE LAITUE
CROUSTADE DE HOMARD « BONNE BOUCHE »
GÂTEAU AUX MÉDAILLONS DE LANGOUSTE

COQUILLES SAINT-JACQUES
AUX COURGETTES ET AU THYM

Photo page 92

Ingrédients pour 4 personnes :

20 coquilles Saint-Jacques
2 courgettes
1/4 de litre de riesling
1/4 de litre de crème
3 échalotes
1 branche de thym
2 tomates
1 cuillerée à soupe d'huile d'olive
Sel, poivre
Cerfeuil haché
100 g de beurre, un peu de farine

Détacher les noix des coquilles Saint-Jacques. Pour faciliter l'ouverture : les mettre 5 minutes dans un four chaud ; ou les faire ouvrir par votre poissonnier. Sortir les noix et surtout bien laver à plusieurs eaux.

Éplucher les courgettes en laissant 4 belles rangées de peau verte sur la longueur. Les couper en rondelles et les faire sauter dans une poêle à l'huile d'olive. Les faire colorer des deux côtés. Les dresser sur un plat. Tenir au chaud.

Tremper les tomates quelques secondes dans l'eau bouillante et les sortir aussitôt dans l'eau glacée. Les éplucher, les couper en 2. Enlever les pépins en les pressant dans la main et les couper en dés.

Saler et poivrer les coquilles, les fariner et les mettre dans une sauteuse ; les cuire au beurre 3 minutes de chaque côté.

Retirer les coquilles et les poser sur les courgettes. Garder au chaud.

Dans la sauteuse, faire suer les échalotes hachées et déglacer avec le vin blanc. Ajouter la branche de thym et la crème. Laisser réduire de moitié. Ajouter le beurre en petits morceaux, ainsi que les dés de tomates. Sortir la branche de thym.

Verser la sauce sur les coquilles Saint-Jacques et les courgettes. Parsemer de cerfeuil haché.

COQUILLES SAINT-JACQUES
A LA FONDUE DE TOMATE

Ingrédients pour 4 personnes :

20 coquilles Saint-Jacques
6 tomates
150 g de beurre
1 oignon
2 échalotes
1 pointe d'ail
50 g de ciboulette hachée
Sel, poivre
3 cuillerées à soupe de farine
Un peu de lait

Ouvrir les coquilles Saint-Jacques, sortir les noix, les laver à plusieurs eaux ; garder 4 coquilles que vous aurez au préalable bien nettoyées.

Pour la fondue de tomate : tremper les tomates quelques secondes dans l'eau bouillante, puis dans l'eau glacée. Les éplucher, enlever les pépins et les couper en dés. Faire suer les échalotes hachées au beurre. Ajouter les dés de tomates et la pointe d'ail, saler et poivrer. Laisser cuire jusqu'à l'évaporation de l'eau. Ajouter le beurre en petits morceaux, rectifier l'assaisonnement.

Saler et poivrer les noix de coquilles Saint-Jacques, les fariner et les sauter au beurre 3 minutes de chaque côté jusqu'à ce qu'elles aient une belle couleur dorée. Les dresser dans les coquilles et les garder au chaud.

Couper l'oignon en rondelles, les tremper dans la farine et le lait et les faire frire dans la friteuse durant 2 minutes jusqu'à coloration.

Verser la fondue de tomates sur les noix de coquilles Saint-Jacques. Placer dessus les rondelles d'oignons frits et parsemer de la ciboulette hachée.

COQUILLES SAINT-JACQUES
A LA JULIENNE DE LÉGUMES
ET TRUFFES

Ingrédients pour 4 personnes :

20 coquilles Saint-Jacques
1/4 de litre de crème double
1/2 tasse de madère
1/2 tasse de Noilly-Prat
2 échalotes
Sel, poivre
100 g de beurre

Pour la julienne :

1 blanc de poireau
1 carotte
100 g de champignons
50 g de céleri
1 truffe de 30 g (facultatif)

Découquiller les noix et les laver à plusieurs eaux. Les sécher et les couper en 2.

Dans une sauteuse, faire suer au beurre, sans colorer, les légumes et les champignons coupés en julienne. Les laisser légèrement croquants. Ajouter en dernier la truffe coupée en julienne et garder le tout au chaud.

Dans une autre sauteuse, faire suer au beurre les 2 échalotes hachées. Mouiller avec le Noilly et la 1/2 tasse de madère. Mettre les noix de Saint-Jacques, saler et poivrer. Dès la première ébullition, retirer la sauteuse du feu et laisser reposer 5 minutes à couvert.

Sortir les noix de la cuisson et les dresser sur un plat (ou dans 4 coquilles bien nettoyées). Ajouter la crème dans le fond de cuisson des Saint-Jacques et laisser réduire. Monter la sauce avec le reste de beurre en petits morceaux. Rectifier l'assaisonnement et ajouter la julienne de légumes et de truffes. Redonner un bouillon et napper les noix de coquilles Saint-Jacques.

Mousseline de grenouilles (recette p. 98).

GRATIN DE MOULES AU SAFRAN

Ingrédients pour 6 personnes :

2 litres de moules (2 kg)
100 g de beurre
2 échalotes
1,5 dl de riesling
Poivre du moulin
1/4 de litre de crème double
1 pincée de pistils de safran
2 jaunes d'œufs
Sel, jus de 1/2 citron
1 cuillerée à soupe de persil haché

Bien laver et gratter les moules.

Faire suer les deux échalotes hachées dans 50 g de beurre. Mettre les moules. Verser le riesling. Bien poivrer. Ne pas saler. Recouvrir avec un couvercle. Ne pas remuer et laisser cuire durant 4 minutes.

Sortir les moules, les décoquiller et les garder au chaud (les moules qui ne sont pas ouvertes ne sont pas bonnes).

Laisser reposer le fond de cuisson pour que le sable reste au fond du récipient. Passer le fond de cuisson à travers une étamine. Remettre sur le feu. Ajouter la crème double et les pistils de safran. Laisser réduire.

Monter les deux jaunes d'œufs avec un peu de fond de cuisson, comme un sabayon, jusqu'à ce que la masse soit bien mousseuse.

L'ajouter au fond de cuisson des moules, ainsi que le beurre restant en petits morceaux. Saler, poivrer, ajouter le jus de 1/2 citron. Ne plus laisser bouillir la sauce. Mettre les moules et le persil haché.

Dresser sur un plat et le passer 2 minutes sous la salamandre ou au grill très chaud. Servir aussitôt.

MOUSSELINE DE GRENOUILLES

Photo page 96

Ingrédients pour 6 personnes :

2 kg de cuisses de grenouilles
200 g de chair de brochet
2 blancs d'œufs
1/2 litre de crème
150 g de beurre
1/2 bouteille de riesling
4 échalotes

500 g d'épinards
1 gousse d'ail
1 cuillère de roux
Ciboulette
Sel et poivre
1/2 citron

Cuisson des grenouilles : dans une sauteuse, faire suer au beurre les échalotes hachées, mettre la moitié des grenouilles, mouiller avec la 1/2 bouteille de riesling, saler et poivrer et laisser mijoter à couvert durant 10 minutes.

Après cuisson, verser les cuisses de grenouilles sur une passoire. Passer le fond de cuisson au chinois et le remettre dans la sauteuse pour le faire réduire de moitié.

Préparer la mousse : passer au hachoir à grille fine la chair de brochet, ainsi que la chair de l'autre moitié des grenouilles que l'on aura désossée à cru.

Mettre ces chairs au mixer ainsi que les deux blancs d'œufs. Laisser tourner et ajouter peu à peu le même volume de crème, saler et poivrer.

Dès que la mousse est bien homogène, la sortir du mixer et la réserver dans une terrine.

Préparer les épinards : blanchir les épinards dans l'eau bouillante salée, les laisser cuire 5 minutes. Les égoutter sur une passoire, Bien les presser entre les mains pour en extraire toute l'eau.

Dans une sauteuse, mettre 50 g de beurre ainsi que la gousse d'ail en chemise. Dès que le beurre commence à mousser, mettre les épinards, saler, poivrer et laisser chauffer durant 5 minutes.

Désosser les cuisses de grenouilles cuites et les garder en réserve.

Beurrer 8 moules à ramequins. Mettre la mousse dans une poche à douille ronde et masquer les parois des moules. Remplir le creux avec les cuisses de grenouilles cuites et recouvrir avec une couche de farce.

Placer les ramequins dans un bain-marie et faire cuire au four durant 15 minutes.

98

Faire la sauce : lier le fond de cuisson réduit avec la cuillère de roux et faire bouillir, ajouter un bol de crème et monter la sauce avec le beurre restant en petits morceaux bien froids. Terminer avec le jus de citron, saler et poivrer et rectifier l'assaisonnement.

Démouler les ramequins sur un plat garni avec les épinards en branches.

Napper les mousselines avec la sauce et parsemer de la ciboulette finement coupée.

GRENOUILLES AU RIESLING

Ingrédients pour 4 personnes :

40 cuisses de grenouilles
2 échalotes
1/4 de litre de riesling
1/4 de litre de bouillon de volaille
1/4 de litre de crème fraîche
Sel, poivre, le jus de 1/2 citron
150 g de beurre
1 cuillerée à soupe de persil haché
1 cuillerée à soupe de ciboulette ciselée
1 cuillerée à soupe de beurre manié
1 pointe d'ail

Faire fondre un morceau de beurre dans une casserole et faire suer les échalotes hachées. Ajouter les cuisses de grenouilles et mouiller avec le bouillon de volaille et le riesling. Saler, poivrer et ajouter la pointe d'ail écrasée.

Laisser cuire à petit feu durant 10 minutes. Sortir les cuisses de grenouilles et les dresser sur un plat. Les tenir au chaud.

Dans le fond de cuisson, ajouter le beurre manié et laisser réduire de moitié. Ajouter ensuite la crème et le restant de beurre en petits morceaux. Remettre les grenouilles dans cette sauce. Ajouter le jus de citron. Rectifier l'assaisonnement. Parsemer de la ciboulette et du persil haché. Servir aussitôt.

CASSOLETTES DE QUEUES D'ÉCREVISSES A LA BOURGEOISE

Ingrédients pour 4 personnes :

48 écrevisses
2 litres de court-bouillon

Pour la brunoise :

1 carotte
1 blanc de poireau
Un peu de céleri (le 1/4 d'une
    boule)
1 truffe de 30 g
100 g de champignons de Paris
150 g de beurre
1/2 verre de madère
1/2 tasse de fond de veau
1/4 de litre de crème double
1 pointe de Cayenne
Sel et poivre

Cuire les écrevisses dans un bon court-bouillon durant 5 minutes. Les sortir et décortiquer les queues.

Couper les légumes et la truffe en brunoise.

Les étuver au beurre dans une casserole. Mouiller à hauteur des légumes avec le court-bouillon d'écrevisses, saler et poivrer. Après cuisson, les légumes de la brunoise doivent être enveloppés d'une légère glace brillante.

Sortir la brunoise et la réserver au chaud.

Déglacer la casserole avec le madère, le fond de veau et la crème double. Laisser réduire de moitié et incorporer le reste de beurre bien froid en petits morceaux. Ajouter la brunoise de légumes et relever de 1 pointe de Cayenne. Mettre les queues d'écrevisses dans cette sauce et leur donner un bouillon.

Dresser les queues d'écrevisses dans des cassolettes individuelles et servir aussitôt.

Homard Cendrillon (recette p. 102).

HOMARD AU CHAMPAGNE
SUR UNE CHIFFONNADE DE LAITUE

Ingrédients pour 4 personnes :

2 homards de 800 g
1 blanc de poireau
1 carotte
20 g de cœur de céleri
1 pointe d'ail
1 échalote
1 dl d'huile
100 g de beurre
1/2 tasse de crème
2 tomates concassées
1 laitue
2 échalotes
1 pincée de Cayenne   1/2 bouteille de champagne brut
1 cuillerée à soupe de farine   Sel, poivre

Couper le homard en 2 dans le sens de la longueur, enlever la poche à sable et garder le corail en réserve. Laisser les pinces.

Mettre le homard dans une casserole avec de l'huile et le faire revenir des deux côtés. Ajouter la mirepoix de légumes coupés en dés et mouiller avec le champagne. Éviter la coloration des légumes. Saler, poivrer et laisser mijoter à couvert durant 20 minutes.

Sortir le homard et le décortiquer. Le garder au chaud.

Couper la laitue en julienne. La laver et la blanchir dans l'eau bouillante, la tremper dans l'eau froide, l'égoutter sur une passoire et bien la presser entre les mains.

Dans une sauteuse, faire suer au beurre les échalotes hachées et mettre la laitue. Laisser mijoter durant 10 minutes.

Dans le jus de cuisson du homard ajouter les dés de tomates, la crème ainsi que le corail. Laisser réduire la sauce, ajouter le beurre en petits morceaux et la pointe de Cayenne. Rectifier l'assaisonnement et passer au chinois.

Dresser sur un plat la chiffonnade de laitue, ranger le homard escalopé ainsi que les pinces et napper avec la sauce au champagne. On peut le glacer à la salamandre en ajoutant au préalable à la sauce une cuillerée de crème Chantilly.

HOMARD CENDRILLON

Photo page 100

Ingrédients pour 4 personnes :

1 homard de 800 g
4 grosses pommes de terre
1 cuillerée à café de cerfeuil haché
125 g de champignons de Paris
100 g de beurre
4 lames de truffes
2 échalotes
1 cuillerée à soupe de crème Chantilly
1 bouquet de persil
Gros sel

Bien laver les pommes de terre, les sécher, les envelopper dans un papier d'aluminium, les placer sur une plaque recouverte de gros sel et les mettre à cuire à four chaud durant 45 minutes.

Dès que la cuisson est terminée, enlever le papier d'aluminium. Découper un couvercle sur chaque pomme de terre. Sortir la pulpe avec une petite cuillère en ne laissant qu'une mince couche autour de la peau.

Écraser la pulpe avec une fourchette, ajouter le beurre et la cuillerée de cerfeuil haché. Saler, poivrer.

Tapisser les parois des pommes de terre avec cet appareil.

Traiter le homard comme le homard au champagne, mais couper la queue en dés. Faire la même sauce.

Couper les champignons en dés et les faire suer au beurre avec les échalotes hachées.

Mélanger à la sauce les dés de homard et les champignons. Remplir les pommes de terre. Ajouter 1 cuillerée de crème Chantilly aux 4 cuillerées de sauce restante et en napper le dessus des pommes de terre. Glacer au four ou sous la salamandre. Décorer avec une lame de truffe lustrée au beurre.

Dresser sur un plat garni d'une serviette et décorer le tour du plat avec les pattes du homard. Mettre un bouquet de persil au milieu.

CROUSTADE DE HOMARD « BONNE BOUCHE »

Photo page 104

C'est une recette de M. Daniel Rederstorff, chef de cuisine à l'Auberge de l'Ill.

Ingrédients pour 6 à 8 personnes :

1 homard de 1,5 kg (cuit au court-bouillon)
1 cuillerée à soupe de cognac
70 g de beurre
300 g de champignons de Paris
1 truffe de 30 g
400 g de pâte brisée
1/4 de litre de sauce américaine
1/4 de litre de crème fraîche
50 g de beurre de homard
3 œufs entiers + 2 jaunes d'œufs
Sel, poivre
1 pointe de Cayenne

Décortiquer la queue du homard et la tailler en médaillons. Étuver au beurre les médaillons avec le cognac durant 2 minutes.

Nettoyer et laver les champignons. Les couper en lamelles et les étuver au beurre.

Couper la truffe en fines lamelles.

Foncer un moule à tarte avec la pâte brisée et la cuire à blanc. La sortir du four et y ranger les médaillons de homard, les champignons de Paris et les truffes en les intercalant.

Préparer l'appareil suivant : mélanger la sauce américaine avec la crème, le beurre de homard fondu, les œufs entiers et les jaunes. Ajouter la pointe de Cayenne, saler, poivrer et verser sur la croustade avec les médaillons.

Cuire à four doux (160º) durant 20 minutes.

Démouler et dresser sur un plat. Décorer le tour de la croustade avec les pattes du homard.

GÂTEAU AUX MÉDAILLONS DE LANGOUSTE

Ingrédients pour 4 personnes :

1 langouste de 800 g
1 truffe fraîche de 80 g
1 verre de madère
1 verre de fond de veau
1 dl de crème double
250 g de feuilletage
1 jaune pour la dorure
1 pointe de Cayenne
Sel, poivre
50 g de beurre, 2 crêpes

Décortiquer la langouste que vous aurez fait cuire au court-bouillon (2 minutes). Couper des médaillons de 1/2 cm d'épaisseur.

Dans une sauteuse, mettre un morceau de beurre. Dès qu'il commence à mousser, ajouter les médaillons de langouste et mouiller avec le madère et le fond de veau ; saler, poivrer et étuver 3 à 4 minutes. Sortir les médaillons et ajouter la truffe fraîche coupée en lamelles. Mouiller avec la crème et laisser réduire quelques instants. Ajouter la pointe de Cayenne. Remettre les médaillons dans cette sauce onctueuse.

Étendre la pâte feuilletée en 2 abaisses, l'une plus grande que l'autre (fond et couvercle). Dans une tourtière, placer une mince abaisse de feuilletage. Étaler au milieu une fine crêpe couvrant l'abaisse aux 3/4. Placer dessus les médaillons de langouste aux truffes et recouvrir le tout d'une autre crêpe bien fine. Replier le bord de la pâte et la badigeonner à l'eau. Recouvrir le tout de la seconde abaisse de feuilletage. Bien souder avec le dessous. Dorer au jaune d'œuf et faire un quadrillage avec le dos du couteau d'office.

Faire cuire à four chaud (15 à 20 minutes environ). Dès que la pâte est bien croustillante, sortir le gâteau sur un plat et servir aussitôt.

Le gâteau n'a pas besoin de cuire à l'intérieur, la langouste étant déjà cuite.

On peut remplacer les truffes par des champignons de Paris.

Croustade de homard « bonne bouche » (recette p. 103).

VIANDES, ABATS

MÉDAILLONS DE VEAU CURNONSKY
JARRET DE VEAU AU CURRY
ESCALOPE DE VEAU GRATINÉE
POITRINE DE VEAU FARCIE
POITRINE DE VEAU FARCIE AUX RIS DE VEAU,
   SAUCE AUX HERBES
CÔTE DE VEAU FOYOT
TOURNEDOS A L'ALSACIENNE, POMMES ANNA
TOURNEDOS POCHÉS AUX PETITS LÉGUMES, SAUCE RAIFORT
AIGUILLETTE DE BŒUF AU PINOT NOIR
ENTRECÔTE AUX ÉCHALOTES
FILET DE BŒUF AUX CONCOMBRES ET POIVRE VERT
FILET D'AGNEAU AU BASILIC ET PETITS LÉGUMES
NOISETTES D'AGNEAU METTERNICH
NAVARIN D'AGNEAU AUX PETITS LÉGUMES
BAEKEOFA
CHOUCROUTE GARNIE A L'ALSACIENNE
NAVETS CONFITS - SURI RUAWA
ESCALOPES DE RIS DE VEAU AU GRATIN DE MACARONIS
   AU FOIE GRAS ET TRUFFES
GRATIN DE MACARONIS AU FOIE GRAS ET TRUFFES
RIS DE VEAU DU JUMELAGE
FOIE DE VEAU AUX TRUFFES ET AUX COURGETTES

MÉDAILLONS DE VEAU CURNONSKY

Cette recette a obtenu le premier prix au concours « Cuisine et vins de France » pour le centenaire de Curnonsky.

Ingrédients pour 4 personnes :

8 médaillons de veau de 80 g environ
2 bottes d'asperges
1 échalote
60 g de beurre
1 tasse de fond de veau
1/4 de litre de crème
1 truffe de 50 g environ avec son jus
Sel, poivre
1 cuillerée à soupe de farine

Éplucher les asperges en ne gardant que les pointes de 10 cm, les cuire à l'eau bouillante salée en les gardant légèrement croquantes.

Faire suer au beurre l'échalote hachée. Déglacer avec le fond de veau, la crème et le jus de truffe. Laisser réduire.

Saler et poivrer les médaillons, les fariner. Les sauter au beurre en les gardant légèrement roses (temps de cuisson : 4 minutes de chaque côté).

Sortir les médaillons sur un plat et les garder au chaud.

Couper la truffe en julienne et l'ajouter à la sauce, rectifier l'assaisonnement.

Poser les pointes d'asperges sur les médaillons et napper avec la sauce.

Servir avec des galettes de maïs (voir recette), le maïs s'accordant à merveille avec les truffes.

JARRET DE VEAU AU CURRY

Ingrédients pour 4 personnes :

800 g à 1 kg de jarret de veau
1 tasse de lait de coco
1 cuillerée à café de curry
1 pomme fruit
1 banane
50 g de beurre
1 verre de vin blanc
1 oignon
Sel, poivre
2 cuillerées à soupe de farine
1/4 de litre de crème

Faire découper le jarret de veau chez votre boucher en 4 rondelles, avec l'os à moelle au milieu (rouelles).

Fariner les jarrets et les faire revenir au beurre dans une poêle. Bien les dorer des 2 côtés.

Dans une cocotte, faire suer au beurre l'oignon haché, saupoudrer de curry, laisser cuire 2 minutes, ajouter les pommes coupées en dés, ainsi que la banane coupée en rondelles. Mettre les jarrets dans la cocotte et saupoudrer avec le restant de la farine. Saler, poivrer, remuer et mouiller avec le vin blanc et le lait de coco, recouvrir avec de l'eau, jusqu'à hauteur des jarrets. Mettre un couvercle et laisser mijoter durant 1 heure 15.

Dresser les jarrets de veau dans un plat et garder au chaud.

Passer la cuisson au mixer, puis au chinois, ajouter la crème et laisser un peu réduire. Rectifier l'assaisonnement et verser la sauce sur les jarrets.

Servir à part un riz pilaf ou des gnocchis à la romaine.

ESCALOPE DE VEAU GRATINÉE

Ingrédients pour 4 personnes :

4 belles escalopes de veau de 150 g chacune
4 fines tranches de jambon de Parme
50 g de beurre

Pour la sauce Mornay :

1/4 de litre de lait
50 g de beurre
50 g de farine
2 jaunes d'œufs
1 pointe de muscade
100 g de gruyère râpé
Sel, poivre

Saisir au beurre les escalopes en les laissant légèrement roses. Les poser sur un plat allant au four.

Pour la sauce Mornay. Faire un roux avec 50 g de beurre et 30 g de farine. Mouiller avec 1/4 de litre de lait et faire cuire en remuant constamment. Il faut que la sauce soit bien lisse et assez liquide. Ajouter hors du feu les deux jaunes d'œufs et la pointe de muscade. Saler et poivrer.

Recouvrir les escalopes avec les tranches de jambon et les napper avec la sauce Mornay. Saupoudrer avec le gruyère râpé.

Gratiner les escalopes sous la salamandre ou sous la voûte du four très chaud.

POITRINE DE VEAU FARCIE

Ingrédients pour 10 personnes :

1 poitrine de veau de 3 kg, désossée
300 g de porc échine
250 g de pain de mie
100 g de lard gras
2 œufs
1 oignon
2 cuillerée à soupe de persil haché
Un peu de lait
Sel, poivre

Pour le mirepoix :

1 oignon
1 carotte
2 tomates
2 gousses d'ail
1/4 de litre de vin blanc
Sel et poivre

Pour la farce, passer au hachoir le porc, le lard et l'oignon émincé qu'on aura fait suer au beurre. Couper le pain de mie en petits dés et le laisser tremper quelques instants dans le lait. Mettre dans un bol la viande hachée, l'oignon, les dés de pain de mie, les œufs, le persil haché. Saler, poivrer et mélanger le tout.

Ouvrir la poitrine avec un couteau et la farcir. Coudre l'ouverture et donner quelques points de ficelle. Saler et poivrer.

Mettre la poitrine dans une braisière avec la mirepoix (l'oignon et la carotte émincés, les tomates coupées en 4 et les gousses d'ail en chemise). Laisser dorer au four et mouiller avec le vin blanc et de l'eau. Couvrir et laisser mijoter au four durant 1 heure 30 à 2 heures. Il faut arroser très souvent la poitrine avec son jus durant la cuisson.

Sortir la poitrine et la couper en tranches. Passer le fond au chinois et le servir à part dans une saucière.

Servir avec une printanière de légumes.

POITRINE DE VEAU FARCIE AUX RIS DE VEAU, SAUCE AUX HERBES

Ingrédients pour 10 personnes :

1 poitrine de veau de 2 kg
2 ris de veau

Pour la farce :

200 g de porc
100 g de lard gras
250 g de pain de mie trempé dans du lait
1/4 de litre de lait
3 œufs
4 échalotes hachées
30 g de beurre
2 cuillerées à soupe de persil haché
Sel, poivre, muscade râpée

Pour le fond blanc :

1 poireau
2 carottes
1 morceau de céleri
1 branche de thym
2 clous de girofle
1 feuille de laurier
Quelques queues de persil
1,5 litre d'eau ou de bouillon
Sel, poivre

Pour la sauce :

100 g de beurre
100 g de farine
1/4 de litre de crème
200 g d'épinards blanchis
Cerfeuil, ciboulette et persil hachés
    (environ 2 cuillerées à soupe)
Le jus de 1 citron

Faire dégorger, puis blanchir les ris de veau. Les rafraîchir, les débarrasser du cartilage et les émietter en dés.

Faire la farce en passant au hachoir le porc, le lard et la mie de pain.

Dans un bol, mélanger le tout avec les œufs battus, les échalotes suées au beurre, le persil et les dés de ris de veau. Assaisonner avec sel, poivre et muscade râpée.

Ouvrir la poitrine de veau avec un couteau et y mettre la farce. Coudre l'ouverture très soigneusement.

110

Faire pocher la poitrine dans un fond blanc garni avec 1 poireau, 2 carottes, du céleri, 1 branche de thym, 2 clous de girofle, 1 feuille de laurier et des queues de persil. Saler et poivrer. Cuire à petit feu ; temps de cuisson : 2 heures.

Pour la sauce aux herbes : faire un roux avec 100 g de beurre et 100 g de farine. Laisser cuire et ajouter le fond de cuisson de la poitrine. Remuer et laisser bouillir. Ajouter la crème, les épinards blanchis et les fines herbes.

Passer le tout au mixer. Ajouter le filet de citron. Rectifier l'assaisonnement.

Couper la poitrine en tranches et la napper avec la sauce aux fines herbes.

Servir avec du riz. Il faut que la sauce ait une couleur émeraude. On peut également ajouter à la sauce des champignons de Paris et des petits oignons grelots.

CÔTE DE VEAU FOYOT

Ingrédients pour 4 personnes :

4 belles côtes de veau de 250 g chacune
100 g de beurre
2 échalotes
1/4 de litre de fond de veau brun
1 verre de vin blanc
Sel, poivre

Pour la farce :

80 g de beurre
100 g de gruyère râpé
100 g de mie de pain

Saler et poivrer les côtes de veau et les poêler au beurre. Les sortir et les recouvrir de la farce préparée en mélangeant le beurre, la mie de pain émiettée et le gruyère râpé.

Placer au four et arroser de beurre fondu. Dès que la farce commence à prendre une légère couleur dorée, déglacer avec les échalotes hachées, le fond de veau et le verre de vin blanc. Arroser souvent. Temps de cuisson : 20 minutes en tout.

Dresser les côtes de veau sur un plat. Passer le fond au chinois. Monter avec le reste de beurre et verser la sauce sur les côtes de veau.

Servir avec une purée de champignons et des pommes noisettes.

TOURNEDOS A L'ALSACIENNE
POMMES ANNA

Ingrédients pour 4 personnes :

4 tournedos de 150 g
4 tranches de foie d'oie
  de 50 g chacune
1 tasse de fond de veau
1/2 verre de porto

100 g de beurre
4 lamelles de truffe
Sel, poivre
Un peu de farine

Assaisonner les tournedos et les sauter au beurre.

Déglacer la sauteuse avec le porto et le fond de veau et monter la sauce au beurre.

Faire 4 croûtons en pommes Anna dans de petites poêles à crêpes.

Saler, poivrer et fariner les escalopes de foie d'oie. Les faire sauter au beurre. Les garder légèrement roses.

Placer les croûtons en pommes de terre sur un plat ; poser les tournedos dessus et en dernier les escalopes de foie d'oie. Napper avec la sauce et décorer avec les lamelles de truffe.

POMMES ANNA

Ingrédients pour 4 personnes :

125 g de beurre clarifié
4 pommes de terre

Éplucher les pommes de terre. Ne pas les laver. Les couper en rondelles d'une épaisseur de 2 mm. Les sécher sur un torchon.

Saler, poivrer. Les tremper dans le beurre clarifié et les disposer par couches superposées en les faisant se chevaucher régulièrement, dans de petites poêles à crêpes ou dans un plat à gratin.

Les mettre au four à 200º jusqu'à ce qu'elles prennent une couleur dorée.

Démoulées, elles ont la forme de petites galettes dorées ou croûtons.

TOURNEDOS POCHÉS AUX PETITS LÉGUMES, SAUCE RAIFORT

Ingrédients pour 4 personnes :

4 tournedos de 180 g pièce
1 litre de bouillon de bœuf
8 belles tranches de moelle
200 g de carottes
200 g de navets
4 blancs de poireaux
100 g de céleri rave
200 g de haricots verts
Sel, poivre
1 cuillerée à soupe de persil haché

Pour la sauce raifort :

1/4 de litre de crème Chantilly
100 g de raifort râpé
1 filet de vinaigre
Sel, poivre

Tourner les carottes, les navets et le céleri en forme de grosses olives et les cuire dans les 2/3 du bouillon chaud. Cuire les haricots verts dans l'eau bouillante salée et les rafraîchir dans l'eau froide pour qu'ils gardent leur couleur verte. Cuire à part dans le reste de bouillon les blancs de poireaux.

Ayant fait dégorger la moelle dans l'eau froide, la couper en rondelles et la cuire dans l'eau salée ; dès la première ébullition, la retirer.

Faire la sauce raifort. Dans la crème Chantilly, ajouter le raifort et le filet de vinaigre, saler, poivrer et bien mélanger.

Pocher les tournedos dans le bouillon en les laissant frémir durant 5 à 10 minutes (selon qu'on les désire saignants ou à point). Les sortir et les dresser sur un plat. Poser dessus les rondelles de moelle et saupoudrer de persil haché. Arranger tout autour les légumes en petits bouquets. Napper avec un peu de bouillon et servir la sauce raifort à part.

AIGUILLETTE DE BŒUF
AU PINOT NOIR

Photo page 120

Ingrédients pour 8 personnes :

1 aiguillette de bœuf de 2 kg
200 g de lard gras
50 g de beurre
1 cuillerée à soupe d'huile
1 pied de veau désossé
2 oignons
2 carottes
1 bouteille de pinot noir d'Alsace
4 tomates
2 cuillerées à soupe de concentré de tomates
1 bouquet garni
4 gousses d'ail
Sel, poivre

Pour la garniture :

300 g de champignons de Paris
30 pièces d'oignons grelots
30 g de beurre
Sel et poivre
Un peu de sucre

Larder l'aiguillette de bœuf, ou la faire préparer par votre boucher.

Dans une grande cocotte, faire revenir dans moitié beurre et huile l'aiguillette de bœuf, le pied de veau, les oignons et les carottes. Bien la dorer des 2 côtés. Mouiller avec la bouteille de pinot noir et recouvrir avec de l'eau à hauteur de l'aiguillette. Ajouter les tomates coupées en 4, les 2 cuillerées de concentré de tomates, les gousses d'ail en chemise, broyées, et le bouquet garni ; saler et poivrer. Couvrir la cocotte et la placer au four à 180º. Laisser mijoter durant 2 heures 30.

Dans une sauteuse, mettre une noix de beurre et les petits oignons grelots. Saler et ajouter une pincée de sucre. Mouiller avec de l'eau à hauteur des oignons et laisser cuire jusqu'à ce que le fond soit sirupeux.

Nettoyer et laver les champignons de Paris. Les couper en 4. Les suer au beurre et les garder au chaud.

Dès que l'aiguillette est cuite, la sortir sur un plat. Sortir également le pied de veau et le couper en petits dés. Passer au chinois le fond de cuisson et bien le dégraisser.

Ajouter à ce fond les champignons de Paris, les oignons grelots, ainsi que le pied de veau coupé en dés.

Verser cette sauce onctueuse sur l'aiguillette et servir aussitôt.

Accompagner l'aiguillette de bœuf avec des Wasserstriwela ou des Spätzle.

VARIANTE POUR SERVIR L'AIGUILLETTE DE BŒUF FROIDE

Dresser dans un plat l'aiguillette coupée en fines tranches. Verser la sauce et laisser refroidir. Décorer avec les légumes tournés en gousse d'ail.

Recouvrir avec une couche de gelée de viande.

ENTRECÔTE AUX ÉCHALOTES

Ingrédients pour 4 personnes :

2 entrecôtes de 400 g
1 cuillerée à soupe d'huile
Sel, poivre
50 g de beurre
6 échalotes

Saler et poivrer les entrecôtes. Mettre l'huile dans une sauteuse et, dès qu'elle est chaude, placer les entrecôtes. Cuire des 2 côtés à point ou saignant.

Jeter la graisse de la cuisson. Mettre 50 g de beurre et faire suer les échalotes hachées.

Dresser les entrecôtes sur un plat et les recouvrir des échalotes au beurre.

Servir à part un gratin de salsifis.

FILET DE BŒUF AUX CONCOMBRES ET POIVRE VERT

Ingrédients pour 4 personnes :

Le cœur d'un filet de bœuf de 800 g
100 g de lard pour piquer
250 g de concombres
1/4 de poivron rouge
100 g de beurre
2 cuillerées à soupe d'huile
2 cuillerées à soupe de crème
1/2 verre de vin blanc
1 tasse de fond de veau
Ciboulette hachée
3 échalotes
Sel
1 cuillerée à soupe de poivre vert

Piquer de lard le filet de bœuf ou le faire piquer par votre boucher. L'enduire de beurre et d'huile, saler, poivrer et le faire rôtir au four très chaud durant 20 minutes. Le sortir et le laisser reposer une dizaine de minutes afin d'obtenir une belle couleur rose.

Éplucher les concombres et les couper en bâtonnets. Les blanchir et les sauter au beurre. Éplucher le poivron, le couper en dés et le sauter au beurre.

Dans le plat à rôtir du filet, faire revenir les échalotes. Déglacer avec le vin blanc et la tasse de fond de veau. Laisser réduire. Quand le fond est réduit, monter la sauce avec la crème et le beurre restant. Rectifier l'assaisonnement. Ajouter les concombres, les dés de poivron, le poivre vert et la ciboulette hachée.

Dresser le filet de bœuf sur un plat chaud et le napper avec la sauce aux concombres.

Servir avec un paillasson de pommes de terre.

FILET D'AGNEAU AU BASILIC
ET PETITS LÉGUMES

Ingrédients pour 4 personnes :

2 carrés d'agneau de 800 g chacun
100 g de carottes
100 g de petits navets
100 g de haricots verts
100 g de petits pois écossés
150 g de beurre
2 échalotes
1/4 de litre de fond d'agneau
2 branches de basilic
1 cuillerée à soupe de cerfeuil haché
Sel, poivre

Désosser les carrés d'agneau, enlever la peau et les nerfs (les os et les nerfs serviront à faire le fond). Saler, poivrer. Enduire de beurre. Mettre les filets dans une cocotte, faire rôtir au four 15 minutes à 220° (les filets doivent rester roses). Sortir du four et laisser reposer la viande 5 minutes.

Jeter la graisse de cuisson. Faire suer les échalotes hachées et déglacer avec le fond d'agneau. Laisser réduire. Ajouter le basilic haché et monter au beurre. Rectifier l'assaisonnement.

Couper les légumes en tronçons et les tourner en forme d'olive. Les cuire séparément à l'eau salée. Mettre le beurre dans une poêle ; dès qu'il mousse, mettre les légumes et les sauter ensemble. Saler, poivrer. Saupoudrer de cerfeuil haché et dresser les légumes à part dans un légumier.

Découper les viandes en tranches fines et verser la sauce autour.

NOISETTES D'AGNEAU METTERNICH

Ingrédients pour 4 personnes :

2 carrés d'agneau de 600 g chacun
2 paires de cervelles d'agneau
Un peu de vinaigre de vin
1/2 poivron rouge
1/2 poivron vert
2 échalotes
1/4 de litre de fond d'agneau

150 g de beurre
1 filet de vinaigre de xérès
1/2 dl de crème double
1 bouquet garni
25 g de farine
Sel, poivre

Désosser le carré d'agneau, enlever la peau et les nerfs ; tailler 8 petites noisettes.

Enlever les peaux sanguines des cervelles d'agneau et les mettre sous l'eau froide durant 1 heure. Blanchir les cervelles dans l'eau salée et vinaigrée, avec un bouquet garni. Donner un bouillon et retirer aussitôt du feu ; laisser dans le bouillon chaud durant 5 minutes.

Poser les poivrons quelques instants sur une plaque très chaude au four. Les sortir et les éplucher (ou les tremper 2 minutes dans la friture très chaude). Couper les poivrons en petits dés.

Saler et poivrer les noisettes, les sauter au beurre. Bien les dorer des 2 côtés et les tenir bien roses. Les sortir sur un plat et les garder au chaud.

Égoutter les cervelles sur un torchon et bien les sécher. Les fariner et les sauter au beurre des 2 côtés.

Jeter la graisse de cuisson des noisettes. Remettre 1 noix de beurre et faire suer les 2 échalotes hachées. Déglacer avec le vinaigre de xérès et le fond d'agneau. Laisser réduire, puis ajouter la crème double et monter la sauce au beurre, par petits morceaux. Rectifier l'assaisonnement. Ajouter les dés de poivrons rouge et vert à la sauce.

Dresser sur chaque noisette 1/2 cervelle d'agneau et napper avec cette sauce onctueuse.

Servir avec des gnocchis à la romaine.

NAVARIN D'AGNEAU
AUX PETITS LÉGUMES

Ingrédients pour 6 à 8 personnes :

1 épaule d'agneau désossée de 2 kg
100 g de beurre
2 oignons
50 g de farine
1 cuillerée à soupe de tomate
    concentrée
1/4 de litre de vin blanc
1 gousse d'ail

6 tomates
1 kg de pommes de terre
500 g de carottes
500 g de navets
200 g de haricots verts
200 g de petits pois
1 cuillerée à soupe de persil haché
Sel, poivre

Désosser l'épaule d'agneau et la couper en morceaux de 50 g. Les saler, les poivrer. Les faire revenir au beurre dans une cocotte. Bien les colorer, ainsi que les oignons coupés en 4. Saupoudrer de farine. Ajouter la tomate concentrée. Bien remuer, mouiller avec le vin blanc et l'eau à hauteur des morceaux. Ajouter la gousse d'ail et le bouquet garni. Laisser mijoter durant 1 heure à couvert.

Ébouillanter les 6 tomates, enlever la peau et les pépins et couper la chair en petits dés.

Éplucher les légumes (navets, carottes) et les tourner en grosses olives, les cuire séparément.

Cuire les haricots et les petits pois à l'eau bouillante, séparément.

Quand la cuisson de la viande est terminée, sortir les morceaux et passer la sauce au chinois, la dégraisser.

Remettre la viande et la sauce dans la cocotte, ajouter les légumes tournés ainsi que les dés de tomates. Laissez mijoter ensemble une dizaine de minutes.

Tourner les pommes de terre en forme de grosses olives, les blanchir et les cuire dans une cocotte au beurre. Quand la cuisson du navarin est terminée, ajouter les pommes de terre aux autres légumes.

Rectifier l'assaisonnement et dresser le navarin sur un plat saupoudré de persil haché.

BAEKEOFA

800 g de porc (échine)
800 g d'épaule de mouton
2 pieds de porc et 1 queue de porc

Personnellement, je ne prends pas de viande de bœuf pour le Baekeofa.

Pour la marinade :

1 bouteille de vin blanc d'Alsace
1 gousse d'ail
1 oignon
1 branche de thym
1 feuille de laurier

Pour la garniture :

3 gros oignons
3 blancs de poireaux
1 bouquet garni
Sel, poivre
2 kg de pommes de terre

Couper la viande, les pieds de porc et la queue en morceaux (80 g environ) et faire mariner durant la nuit avec le vin d'Alsace, l'oignon émincé, le bouquet garni et la gousse d'ail écrasée. Saler et poivrer.

Le lendemain, émincer les oignons et les blancs des poireaux. Couper les pommes de terre en grosses rondelles et les saler.

Égouter la viande et garder la marinade.

Dans une cocotte en terre (spéciale pour le Baekeofa), disposer une couche de pommes de terre, d'oignons et de poireaux. Mettre la viande et le bouquet garni. Recouvrir d'une autre couche de pommes de terre, d'oignons et de poireaux.

Mouiller au 1/4 de la hauteur avec la marinade.

Fermer avec le couvercle et le souder avec une pâte faite avec de la farine, de l'eau et de l'huile. Il faut que tout l'arôme reste à l'intérieur de la cocotte. Faire cuire au four chaud durant 2 heures 30.

Servir dans la cocotte. N'enlever le couvercle que sur la table.

Accompagner le Baekeofa d'une bonne salade (mâche ou frisée).

Jadis, le jour de la lessive, les ménagères apportaient le Baekeofa le matin au boulanger pour le faire cuire et le recherchaient à midi.

Aiguillette de bœuf au pinot noir (recette p. 114).

CHOUCROUTE GARNIE
A L'ALSACIENNE

Ingrédients pour 10 personnes :

2 kg de choucroute
2 jarrets de porc salé
1 schiffala fumé (épaule de porc)
500 g de lard fumé
250 g de lard salé
6 saucisses de Colmar
6 saucisses de Montbéliard fumées
Sel
2 oignons
1 gousse d'ail
20 grains de genièvre
1 petit sac en lin contenant : du thym, 1 laurier, 1 clou de girofle, du coriandre et des grains de poivre concassés
1/2 litre de vin blanc
100 g de graisse d'oie

Faire dessaler, dans l'eau froide, pendant la nuit, le schiffala et le lard.

Laver la choucroute à l'eau tiède et l'égoutter sur une passoire. Bien l'essorer avec les mains.

Faire cuire les viandes et le lard dans une casserole remplie d'eau (30 minutes environ).

Dans une grande cocotte, mettre la graisse d'oie et faire revenir les oignons émincés. Ajouter la choucroute, les baies de genièvre, la gousse d'ail écrasée et le petit sac contenant les épices. Mouiller avec le vin blanc et la cuisson des viandes, saler si c'est nécessaire. Couvrir et laisser mijoter au four durant 1 heure 30. A mi-cuisson on aura ajouté les viandes et le lard. Il faut que la choucroute reste légèrement croquante.

Dans l'eau de cuisson des viandes on fera pocher les saucisses.

Après la cuisson, sortir la viande et le lard, rectifier l'assaisonnement de la choucroute et la dresser sur un plat en terre en disposant autour la viande le lard et les saucisses. Servir avec des pommes de terre en robe des champs.

NAVETS CONFITS - SURI RUAWA

Ingrédients pour 6 personnes :

2 kg de navets salés (navets traités comme la choucroute)
400 g de lard salé non fumé
6 cuisses d'oie ou de canard confites
1/2 schiffala fumé (épaule de porc)
1/2 litre de vin blanc
2 oignons
1 gousse d'ail
1 feuille de laurier
100 g de graisse d'oie

Mettre à cuire dans l'eau le lard et le schiffala fumé (environ 45 minutes).

Laver les navets et les égoutter sur une passoire. Mettre la graisse d'oie dans une cocotte et faire suer les oignons émincés ; ajouter les navets, le laurier, la gousse d'ail écrasée. Mouiller avec le vin blanc et l'eau de cuisson du lard et du schiffala. Couvrir et laisser mijoter au four durant 1 heure 30. Il n'est pas nécessaire de saler.

A mi-cuisson, ajouter le lard et le schiffala et les recouvrir de navets. 10 minutes avant la fin de la cuisson, poser également les cuisses d'oie confites.

Les navets doivent rester légèrement croquants.

Sortir les navets sur un plat en terre bien chaud et dresser autour le lard et le schiffala coupés en tranches, ainsi que les cuisses d'oie.

Accompagner de pommes de terre cuites à la vapeur.

On peut également servir des saucisses blanches grillées.

ESCALOPES DE RIS DE VEAU
AU GRATIN DE MACARONIS
AU FOIE GRAS ET TRUFFES

Ingrédients pour 6 personnes :

800 g de ris de veau
100 g de mie de pain
2 cuillerées à soupe de farine
1 œuf
50 g de beurre
100 g de mie de pain fraîche
Sel, poivre

Blanchir les ris de veau et les rafraîchir à l'eau froide. Les mettre sur un plat et les presser durant la nuit avec un poids.

Couper les ris de veau en escalopes : les saler, les poivrer, les fariner, les tremper dans l'œuf battu et les paner à la mie de pain fraîche.

Mettre un morceau de beurre dans une poêle. Dès qu'il commence à mousser, placer les escalopes et les dorer des 2 côtés.

Temps de cuisson : 10 minutes. Il faut que les ris de veau restent bien moelleux.

Les servir accompagnés du gratin de macaronis au foie gras et truffes.

GRATIN DE MACARONIS
AU FOIE GRAS ET TRUFFES

Ingrédients pour 6 personnes :

250 g de macaronis
1/2 litre de crème fraîche
150 g de foie d'oie frais
1 truffe
50 g de gruyère râpé
30 g de beurre
Sel, poivre

Cuire les macaronis et les égoutter sur une passoire. Faire réduire la crème dans une sauteuse, saler, poivrer et ajouter les macaronis.

Faire sauter au beurre des dés de foie d'oie frais. Les ajouter aux macaronis, ainsi qu'une truffe coupée en julienne. Donner un bouillon au tout.

Verser dans un moule à gratin et saupoudrer de gruyère râpé. Faire gratiner au four.

RIS DE VEAU DU JUMELAGE

Recette créée en 1967, à l'occasion du jumelage d'Illhaeusern, avec Collonges-au-Mont-d'Or où se trouve le restaurant de Paul Bocuse.

Ingrédients pour 4 personnes :

2 paires de ris de veau
1/4 de litre de riesling
1 tasse de fond de veau clair
1 oignon
2 carottes
Céleri

Persil
1 gousse d'ail
Sel, poivre
Thym, 1/2 feuille de laurier
60 g de beurre

Pour la sauce :

300 g de julienne de légumes (carottes, blancs de poireaux, un peu de céleri)
1 truffe de 50 g
1 cuillerée à soupe de roux
1/4 de litre de crème double
Le jus de 1/2 citron

Faire dégorger les ris de veau dans l'eau froide durant la nuit. Puis les faire blanchir. Les rafraîchir et les débarrasser de leur cartilage.

Beurrer grassement une cocotte et y mettre 1 oignon émincé, 2 carottes, un peu de céleri, des queues de persil, une gousse d'ail en chemise, du thym et une 1/2 feuille de laurier. Poser les ris de veau sur les légumes. Mouiller avec le riesling et le fond de veau. Laisser mijoter à couvert durant 20 minutes. Veiller à ce que les légumes ne colorent pas.

Faire suer au beurre une julienne de carottes, blancs de poireaux et très peu de céleri, ainsi qu'une truffe. Garder au chaud après cuisson.

Sortir les ris de veau sur un plat et passer ce fond au chinois en pressant.

Mettre le fond dans une sauteuse ; ajouter la crème double. Laisser réduire. Rectifier l'assaisonnement, ajouter le jus de citron et la julienne de légumes et de truffe.

Napper les ris de veau avec cette sauce et servir avec des nouilles à la strasbourgeoise.

FOIE DE VEAU AUX TRUFFES ET AUX COURGETTES

Ingrédients pour 4 personnes :

4 tranches de foie de veau de 150 g
25 g de farine
100 g de beurre
1 dl de fond de veau
1/2 verre de porto
1 truffe de 50 g et son jus
4 petites courgettes
Sel, poivre
Un peu de lait
Huile pour friture

Sécher les tranches de foie de veau avec un torchon ; les saler, les poivrer et les fariner.

Couper les courgettes en éventail. Ne pas les peler. Les tremper dans le lait et la farine. Les cuire 5 minutes dans la friture chaude et les égoutter sur un linge. Les saler.

Mettre un morceau de beurre dans une poêle. Dès qu'il commence à mousser, mettre les tranches de foie de veau et les faire dorer des 2 côtés. Le foie doit rester bien rose. Dresser les tranches de foie de veau sur un plat avec, autour, les courgettes frites.

Jeter le beurre de la cuisson et déglacer la poêle avec le fond de veau, le porto et le jus de truffe. Laisser un peu réduire et ajouter la truffe coupée en lamelles. Monter la sauce avec le beurre restant. Rectifier l'assaisonnement et verser la sauce sur les tranches de foie de veau.

VOLAILLES

COQ AU RIESLING
COQ EN PÂTE
JAMBONNEAUX DE VOLAILLE
   AUX GRENOUILLES ET LANGOUSTINES
POULARDE GRATINÉE DE L'AUBERGE
CÔTELETTE DE VOLAILLE POJARSKY
POUSSINS A LA STRASBOURGEOISE
BALLOTTINE DE DINDE AUX MARRONS
OIE FARCIE AUX MARRONS
CANARD AUX DEUX SAUCES
CANARD AUX POMMES ET AUX AIRELLES
SUPRÊME DE PINTADEAU A LA STRASBOURGEOISE
BALLOTTINE DE PIGEONNEAU AUX TRUFFES
FEUILLETÉ DE PIGEONNEAU DE BRESSE
   AUX CHOUX ET AUX TRUFFES
CAILLE AUX GOUSSES D'AIL ET AUX CÈPES
CRÉPINETTES DE LAPEREAU
PAIN DE LAPEREAU EN CHARTREUSE

COQ AU RIESLING

Ingrédients pour 4 personnes :

1 beau coq de ferme de 2 kg
1/2 bouteille de riesling
200 g de champignons
1 gros oignon
100 g de beurre
1/4 de litre de crème
Sel, poivre
1/2 citron
1 cuillerée à soupe de farine

Découper le coq en 8 morceaux et les faire revenir dans une poêle avec un morceau de beurre. Bien les colorer.

Dans une cocotte, faire suer l'oignon haché, ajouter les morceaux de coq. Saupoudrer de la cuillerée de farine. Bien remuer et mouiller avec le riesling. Saler et poivrer. On peut également ajouter un peu de fond de volaille (obtenu avec les abattis du coq, pattes, cou, estomac et ailerons). Laisser mijoter durant 40 minutes. La cuisson variant avec l'âge du coq.

Nettoyer et laver les champignons, les couper en gros dés et les faire suer au beurre. Les égoutter et les réserver en gardant le jus de cuisson.

Le coq étant cuit, retirer les morceaux et les garder au chaud. Passer la cuisson au chinois, ajouter la crème et le jus de cuisson des champignons. Laisser réduire de moitié.

Ajouter à la sauce les champignons, le jus de citron. Rectifier l'assaisonnement et verser sur les morceaux de coq.

Servir avec des nouilles fraîches.

Coq en pâte (recette p. 129)

COQ EN PÂTE

Photo page 128

Photo page 128

Ingrédients pour 4 personnes :

Un coq de ferme de 2,5 kg
250 g de pâte feuilletée
200 g de champignons
1/4 de litre de fond de veau
1 verre de vin blanc d'Alsace
1 tomate, 1 oignon, 1 carotte
100 g de beurre
Sel, poivre
1 jaune d'œuf pour dorer

Pour la farce :

100 g de pain de mie trempé au lait
50 g de porc
50 g de lard gras
1 échalote
Persil
1 jaune d'œuf
1 cuillerée à café de cognac
100 g de beurre

Vider le coq. Garder le foie et le cœur en réserve.

Enduire le coq de beurre et le rôtir à couvert durant 1 heure, au four. Le sortir de la cocotte et le couper en 4.

Pour la farce : passer à la grille fine le porc, le lard, le foie, le cœur et le pain de mie bien pressé. Mettre la farce dans un bol. Y ajouter l'échalote hachée et suée au beurre, 1 cuillerée à soupe de persil haché et 1 jaune d'œuf, 1 cuillerée à café de cognac. Saler et poivrer. Bien mélanger le tout.

Sortir le coq et faire revenir dans le beurre de la cuisson l'oignon coupé en 4, la carotte et la tomate. Déglacer avec le vin blanc et le fond de veau. Laisser cuire une dizaine de minutes. Passer au chinois.

Émincer les champignons et les sauter au beurre.

Il faut un grand plat en terre allant au four. Former avec la farce 4 galettes aplaties. Les mettre dans le plat. Poser sur chaque galette de farce un quartier de coq. Mettre autour les champignons et verser le fond de la cuisson réduit.

Étendre au rouleau la pâte feuilletée et recouvrir le plat en pressant la pâte contre le plat. Badigeonner la pâte au jaune d'œuf. La décorer en la rayant avec une fourchette (faire attention de ne pas trouer la pâte).

Cuire à four chaud (220°) durant 30 minutes.

Servir à part une salade de mâche.

Surtout ne pas omettre de manger la croûte imprégnée de tous les arômes du coq.

JAMBONNEAUX DE VOLAILLE AUX GRENOUILLES ET LANGOUSTINES

Ingrédients pour 4 personnes :

8 cuisses de volaille
100 g de chair de volaille
20 grosses cuisses de grenouilles
1 pain au lait
1 œuf
2 échalotes
150 g de beurre + 25 g de beurre de homard
2 kg de langoustines
4 épices, 1 cuillerée à soupe de persil haché
1 cuillerée à soupe de cerfeuil haché
1 cuillerée à café de cognac
1/4 de litre de riesling
1/4 de litre de fond de volaille
1/4 de litre de crème
Sel, poivre

Mirepoix :

1 oignon, 1 carotte

Désosser les cuisses de volaille en laissant l'os des pilons bien apparent. Il faut surtout laisser le plus de peau possible afin de bien pouvoir former les jambonneaux.

Pour faire la farce : désosser les cuisses de grenouilles et les passer au hachoir fin, ainsi que la chair de volaille et le petit pain trempé au lait. Mettre dans un bol et mélanger avec l'œuf les échalotes suées au beurre, la cuillerée de persil haché ; saler, poivrer et ajouter 1 pincée de 4 épices.

Étaler sur la table les cuisses, les assaisonner à l'intérieur et les farcir avec une noix de farce. Replier la peau et coudre les extrémités en respectant la forme des jambonneaux.

Dans une cocotte, faire fondre un morceau de beurre et, dès qu'il commence à mousser, y mettre les jambonneaux et leur faire prendre une couleur dorée. Mettre la mirepoix dans la cocotte. Couvrir et laisser suer en retournant de temps en temps les jambonneaux. Mouiller avec le vin blanc et le fond de volaille et cuire doucement à couvert durant 30 minutes.

Décortiquer les queues de langoustines à cru et les faire suer au beurre en les arrosant du cognac. Les garder au chaud. Temps de cuisson : 5 minutes (les garder légèrement croquantes).

Sortir les jambonneaux de la cocotte, enlever les ficelles et les réserver au chaud.

Passer le fond de cuisson au chinois. Ajouter la crème et laisser réduire. Rectifier l'assaisonnement et lier avec 1 cuillerée de beurre de homard. Ajouter les queues de langoustines et donner quelques bouillons.

Dresser les jambonneaux sur un plat et napper avec la sauce aux queues de langoustines. Saupoudrer du cerfeuil haché grossièrement.

Servir avec des pois gourmands sautés au beurre.

POULARDE GRATINÉE
DE L'AUBERGE

Ingrédients pour 4 personnes :

1 volaille de 1,5 kg
4 tranches de foie gras truffé
1/2 litre de sauce Mornay
100 g de gruyère râpé
Sel et poivre
50 g de beurre

Flamber et vider la poularde. L'enduire de beurre, la saler et la poivrer et la rôtir au four durant 40 minutes.

La sortir et la découper en 4. Enlever les os autant que possible en ne laissant que l'os de l'aile et de la cuisse.

Beurrer un plat à gratin. Mettre les tranches de foie gras truffé et placer sur le foie gras les morceaux de volaille. Les napper avec la sauce Mornay pas trop épaisse. Saupoudrer le tout de gruyère râpé et faire gratiner au four très chaud.

Servir avec des Wasserstriwela et une salade de mâche.

CÔTELETTE DE VOLAILLE POJARSKY

Ingrédients pour 4 personnes :

300 g de chair de volaille
100 g de beurre
2 jaunes d'œufs
1/2 tasse de crème
1 petit pain au lait
100 g de mie de pain
1 œuf
25 g de farine
Sel, poivre
4 gros macaronis non cuits

Passer à la grille fine du hachoir la chair de la volaille, le beurre ramolli et le petit pain trempé au lait.

Bien mélanger le tout dans un bol avec les 2 jaunes d'œufs. Saler et poivrer.

Avec la farce, faire des galettes en forme de côtelettes. Les fariner, les tremper dans l'œuf battu et la mie de pain. Piquer au bout effilé de chaque galette un gros macaroni pour remplacer l'os de la côtelette.

Mettre un morceau de beurre dans la poêle et, dès qu'il commence à mousser, y mettre les côtelettes. Bien les dorer des 2 côtés. Les sortir dès qu'on voit perler le jus sur le dessus.

Les dresser sur un plat garni d'une serviette. On mettra une manchette en papier sulfurisé au bout du macaroni.

Servir avec un gratin de salsifis.

POUSSINS A LA STRASBOURGEOISE

Ingrédients pour 4 personnes :

4 poussins de 400 g
50 g de beurre
Sel, poivre

Pour la farce :

200 g de riz
100 g de foie gras
1 truffe de 50 g et son jus
Bouillon de volaille

Pour la mirepoix :

1 oignon
1 carotte
1 tomate

Pour la sauce :

1 dl de fond de volaille
1 verre de porto
50 g de beurre

Flamber et vider les poussins. Les désosser par le dos en ne laissant que les cuisses et les ailes. Égaliser la chair et aplatir.

Pour la farce : cuire le riz en le mouillant, de 2 fois son volume, de bouillon ainsi que du jus de truffe. Laisser cuire 20 minutes au four à couvert. Le sortir et mélanger au riz le foie gras ainsi que la truffe coupée en dés. Laisser refroidir.

Farcir les poussins avec cette farce et les reconstituer en les ficelant. Saler et poivrer, les enduire de beurre et les rôtir au four dans une cocotte durant 30 minutes. A mi-cuisson ajouter l'oignon, la carotte et la tomate coupés en 4. Bien dorer et déglacer avec le fond de volaille et le porto.

Sortir les poussins sur un plat et les garder au chaud. Dégraisser le fond de cuisson. Le passer au chinois. Laisser réduire de moitié et monter avec le restant de beurre. Verser la sauce autour des poussins.

On peut aussi farcir les poussins en les laissant entiers.

BALLOTTINE DE DINDE
AUX MARRONS

Ingrédients pour 6 personnes :

1 dinde de 3 kg
1 kg de marrons (500 g pour la farce,
500 g pour la garniture)
1/2 litre de bouillon de volaille
25 g de beurre

2 oignons, 2 tomates, 2 carottes
Sel, poivre
Huile pour friture
1/4 de litre de vin blanc

Pour la farce :

150 g de porc
150 g de lard gras
4 foies de volaille ainsi que le foie
et le cœur de la dinde
1 pain au lait
2 échalotes

20 g de beurre
1 œuf
Sel épicé
1 filet de cognac
500 g de marrons

Flamber et vider la dinde, garder le foie et le cœur pour la farce, la désosser par le dos, étendre la dinde sur la table, égaliser la chair et l'aplatir (garder les carcasses pour un fond).

Pour éplucher les marrons, les inciser et les tremper dans la friture chaude (temps de cuisson : 5 minutes), les sortir et les éplucher, les deux peaux s'enlèvent en même temps.

Cuire les marrons dans un bouillon de volaille, mouiller à hauteur des marrons, saler. Temps de cuisson : 5 minutes, car les marrons sont déjà à moitié cuits de la friture. Les égoutter dans une passoire et réserver la moitié pour la garniture.

Pour la farce : passer à la grille fine du hachoir la viande, le lard, les foies et le petit pain trempé au lait. Bien mélanger le tout avec les échalotes que l'on aura fait suer au beurre et l'œuf, le sel épicé et le filet de cognac. Ajouter les marrons. Bien mélanger.

Recouvrir la dinde de la farce et la rouler. La ficeler, saler, poivrer, l'enduire de beurre et la mettre dans une cocotte. La rôtir au four durant 1 heure 30.

A mi-cuisson, ajouter les oignons et les carottes coupés ainsi que les 2 tomates. Mouiller avec le vin blanc et le bouillon de cuisson des marrons. Arroser la ballottine durant la cuisson, à plusieurs reprises.

Sortir la ballottine sur un plat. Dégraisser le fond de cuisson et le passer au chinois. Ajouter les marrons restants dans le jus de cuisson de la dinde et verser le tout autour de la ballottine. Découper en tranches.

Servir avec une purée de céleri.

OIE FARCIE AUX MARRONS

Ingrédients pour 8 personnes :

1 oie de 4 kg
Sel, poivre

Pour la mirepoix :

2 oignons
1 carotte
1 tomate

Pour la farce :

125 g de porc
125 g de lard gras
4 foies de volaille ou le foie de l'oie si elle n'est pas gavée
1 pain au lait
2 échalotes
Sel et poivre
1 œuf
1 pincée de 4 épices
500 g de marrons
Huile pour friture

Flamber et vider l'oie, garder en réserve le foie et le cœur si ce n'est pas une oie gavée. Sinon s'en servir pour la farce.

Inciser la peau des marrons et les tremper 5 minutes dans la friture chaude. Les égoutter et les éplucher. Les 2 peaux s'enlèvent en même temps.

Faire la farce. Passer au hachoir fin le porc, le lard, le foie et le petit pain trempé au lait. Mettre dans une terrine avec les échalotes, l'œuf battu, le sel, le poivre et la pincée de 4 épices. Bien mélanger cette farce, ajouter en dernier les marrons.

Farcir l'oie et la brider. Saler, poivrer. La mettre au four dans une cocotte. Ajouter 1 petite louche d'eau. La rôtir à couvert durant 2 heures 30 à 3 heures en l'arrosant très souvent. Après 30 minutes de cuisson, verser toute la graisse superflue et mettre la mirepoix, faire dorer et mouiller avec de l'eau.

Sortir l'oie et la découper en mettant la farce au milieu du plat. Servir avec le jus de cuisson dans une saucière.

Accompagner l'oie de choux rouges aux reinettes.

CANARD AUX DEUX SAUCES
(sauce aux cèpes et sauce béarnaise)

Ingrédients pour 4 personnes :

2 canards de 2 kg
Sel, poivre, thym
Huile d'olive
1/4 de litre de vin blanc
Mirepoix pour le fond
    (tomates, carottes, oignons)
1 bouquet garni

Pour la sauce aux cèpes :

2 échalotes
120 g de beurre
2 cuillerées à soupe d'huile
400 g de cèpes ou 50 g de cèpes séchés

Pour la sauce béarnaise :

4 cuillerées à soupe de vinaigre
2 échalotes
2 cuillerées à café d'estragon haché
1 cuillerée à café de poivre concassé
4 jaunes d'œufs
250 g de beurre
Sel
1 cuillerée à soupe de cerfeuil

Désosser les canards. Garder les cuisses pour faire un civet. Laisser la peau des aiguillettes et bien parer le tour. Les saler et poivrer, parsemer de fleurs de thym et faire mariner durant 2 heures dans de l'huile d'olive.

Sortir les aiguillettes de la marinade et les poser sur le gril chaud, côté peau en dessous, durant 10 minutes. Bien les quadriller.

Les enlever du gril et continuer la cuisson au four durant 10 autres minutes. Les aiguillettes de canard doivent rester roses.

Entre-temps on aura fait revenir les os de la carcasse avec la mirepoix.

Mouiller avec vin blanc et eau jusqu'à hauteur. Ajouter le bouquet garni. Laisser cuire durant 45 minutes. Passer ce fond et le garder.

Pour la sauce aux cèpes : faire suer à l'huile les échalotes hachées. Ajouter les cèpes et laisser mijoter durant 10 minutes. Mettre les cèpes au mixer, ajouter 1 tasse de fond de canard. Quand les cèpes sont en purée, les sortir et ajouter petit à petit le beurre en morceaux pour bien lier la purée, saler et poivrer. Si vous avez des cèpes séchés, les tremper la veille dans l'eau froide. Comptez 10 minutes de plus pour la cuisson des cèpes séchés (vous pouvez ajouter dans la purée quelques morceaux de cèpes grossièrement hachés). *(Voir suite p. 137.)*

Canard aux deux sauces.

Pour la sauce béarnaise : mettre le vinaigre, les échalotes hachées, 1 cuillerée d'estragon et le poivre concassé dans une sauteuse et laisser réduire jusqu'à ce qu'il ne reste plus qu'1 cuillerée de liquide. Enlever du feu et laisser un peu refroidir. Mettre les jaunes d'œufs et bien battre sur feu doux *ou* au bain-marie jusqu'à ce que la masse épaississe. Ajouter petit à petit le beurre ramolli. Quand la sauce est bien onctueuse, la passer au chinois. Saler. Ajouter l'autre cuillerée d'estragon et le cerfeuil haché.

Sur des assiettes chaudes, verser une moitié de sauce béarnaise, l'autre de sauce aux cèpes. Dresser au milieu les aiguillettes de canard grillées.

CANARD AUX POMMES ET AUX AIRELLES

Ingrédients pour 4 personnes :

1 canard de 2,5 kg	1 dl de fond de canard
4 pommes fruit	1/4 de litre de crème
1 cuillerée à soupe d'airelles nature	4 échalotes
Sel, poivre	5 cl de calvados
1 dl de riesling	100 g de beurre

Flamber et vider le canard. Le brider, l'enduire de beurre, le saler, le poivrer et le cuire à four chaud durant 30 minutes. Le sortir et détacher les cuisses qu'on remettra au four 10 minutes de plus.

Jeter la graisse de la cuisson. Ajouter un petit morceau de beurre et faire suer les 4 échalotes hachées. Déglacer avec le fond de canard et le riesling. Laisser réduire de moitié et passer au chinois. Dégraisser.

Éplucher les pommes fruit et lever des boules avec une cuillère à pommes noisettes. Les faire sauter au beurre dans une poêle (temps de cuisson : 5 minutes). Les garder au chaud.

Remettre la sauce dans une sauteuse ; ajouter la crème et le calvados. Laisser réduire jusqu'à ce que la sauce devienne onctueuse. Rectifier l'assaisonnement. Ajouter les airelles et les pommes.

Détacher les poitrines et les couper en fines aiguillettes. Les dresser sur un plat et les napper avec la sauce aux pommes et aux airelles. Placer les cuisses autour.

Servir accompagné de galettes de maïs.

SUPRÊME DE PINTADEAU
A LA STRASBOURGEOISE

Ingrédients pour 4 personnes :

2 pintadeaux
4 tranches de foie gras de 30 g
50 g de beurre
Mie de pain fraîche
25 g de farine
1 œuf
Sel et poivre

Pour la sauce :

Les carcasses de pintadeaux
1 oignon
1 carotte
1 bouquet garni
2 tomates
1/4 de litre de sylvaner
1 verre de porto
100 g de beurre
1 tasse de crème double

Détacher la poitrine des pintadeaux, enlever la peau. Avec un petit couteau, fendre les suprêmes et y introduire les tranches de foie gras. Refermer, saler et poivrer. Les fariner et les tremper dans l'œuf battu et la mie de pain fraîche.

Préparer un fond avec les carcasses de pintadeaux. Dans une cocotte faire revenir les os ainsi que l'oignon, la carotte, les tomates (tous émincés) et le bouquet garni. Mouiller avec le sylvaner et de l'eau à hauteur des carcasses. Laisser mijoter durant 30 minutes.

Passer le fond au chinois et le verser dans une sauteuse. Ajouter le verre de porto et la crème et laisser réduire de moitié. Ajouter le reste de beurre bien froid en petits morceaux en ne cessant de remuer. Rectifier l'assaisonnement.

Cuire les suprêmes dans une poêle avec du beurre clarifié. Faire dorer les 2 côtés. Il faut que la chair reste très moelleuse. Dresser les suprêmes sur un plat et verser la sauce autour.

Servir avec un gratin de nouilles aux truffes.

BALLOTTINE DE PIGEONNEAU AUX TRUFFES

Ingrédients pour 4 personnes :

4 pigeonneaux
4 tranches de foie d'oie de 30 g
1 truffe de 20 g
100 g de beurre
1 oignon
1 carotte
1 verre de porto
1/4 de litre de fond de volaille

Pour la farce :

150 g de porc
150 g de lard gras
4 foies de volaille
1 œuf
2 échalotes
1 pain trempé dans du lait
Sel, poivre
4 épices
20 g de beurre

Flamber les pigeonneaux, ne pas les vider, les désosser par le dos, et ne laisser que les os des ailes et des pattes. Garder les os pour le fond ainsi que les foies et les cœurs pour la farce.

Faire la farce. Passer au hachoir à grille fine le porc, le lard, les foies de volaille et les foies et les cœurs des pigeonneaux, le pain trempé dans du lait, ainsi que les échalotes suées au beurre.

Mettre le tout dans une terrine, ajouter l'œuf, les 4 épices, saler. Bien mélanger le tout.

Étaler les pigeonneaux sur la table, placer au milieu le foie d'oie et 1 lamelle de truffe. Mettre la farce, à peu près 50 g. Replier la chair et leur donner la forme initiale en les ficelant. Les saler et les poivrer. Les enduire de beurre, les placer dans une cocotte et les rôtir au four durant 30 minutes. Ajouter les os de pigeonneaux, l'oignon et la carotte coupés. Les arroser à plusieurs reprises durant la cuisson. Sortir les ballottines sur un plat, enlever la ficelle et les garder au chaud.

Déglacer la cocotte avec le porto et le fond de volaille et laisser cuire une dizaine de minutes. Passer ce fond au chinois et le monter avec le beurre restant. Ajouter dans le fond le reste de la truffe hachée.

Verser ce fond sur les ballottines de pigeonneaux et servir avec des petits pois à la française ou une purée de petits pois.

FEUILLETÉ DE PIGEONNEAU
DE BRESSE
AUX CHOUX ET AUX TRUFFES

Ce plat a été créé par Marc Haeberlin à l'occasion de la remise de l'ordre national du Mérite par le président de la République, M. Valéry Giscard d'Estaing, à Paul et Jean-Pierre Haeberlin.

Ingrédients pour 4 personnes :

4 pigeonneaux de Bresse
1 chou vert frisé
2 truffes de 30 g
250 g de pâte feuilletée
50 g de beurre
1 jaune d'œuf pour la dorure

Pour la marinade :

1 cuillerée de cognac
1 cuillerée de porto
Sel, poivre

Pour la farce :

100 g de porc
100 g de chair de volaille
50 g de foie gras
1 œuf
Sel épicé
1 échalote
20 g de beurre

Flamber et lever les suprêmes des pigeonneaux. Les saler, poivrer et les faire mariner durant 2 heures dans le porto et le cognac.

Faire la farce en passant à la grille fine le porc, la volaille, les foies et cœurs des pigeonneaux, ainsi que la chair des cuisses désossées et le foie gras.

Mettre le tout dans un bol. Assaisonner. Ajouter l'échalote hachée et suée au beurre, l'œuf et bien mélanger la farce.

Émincer finement le chou et le faire suer au beurre. Le cuire à couvert durant 20 minutes. Laisser refroidir.

Étaler la pâte feuilletée et découper 4 rectangles de 15 × 10 cm. Mettre une couche très mince de farce, une couche de chou bien pressé, poser les suprêmes de pigeonneaux et les deux truffes coupées en 2. Recouvrir d'une très mince couche de chou et de farce. Dorer le tour de la pâte et recouvrir d'un autre rectangle légèrement plus large, en pressant légèrement la pâte sur le premier rectangle. Dorer la pâte en faisant un léger décor avec le dos d'un couteau d'office.

Cuire au four à 200° durant 20 minutes.

Servir avec une sauce Périgueux.

CAILLE AUX GOUSSES D'AIL
ET AUX CÈPES

Ingrédients pour 4 personnes :

4 cailles
4 fines tranches de lard gras
50 g de beurre
40 gousses d'ail
1/4 de litre de lait
1 tasse de fond de veau
Sel et poivre
1 oignon
1 carotte
1/4 de litre de sylvaner
300 g de cèpes
2 cuillerées à soupe d'huile
1 cuillerée à soupe de mie de pain fraîche
1 cuillerée à soupe de persil haché.

Flamber et vider les cailles, les barder avec les tranches de lard et les brider. Les saler et poivrer, les enduire de beurre et les rôtir dans une cocotte au four chaud durant 10 minutes. Les sortir et les garder au chaud.

Éplucher les gousses d'ail et les cuire dans le lait durant 10 minutes ; dès que les gousses d'ail sont cuites, les égoutter dans une passoire.

Dans la graisse de la cuisson des cailles, faire revenir l'oignon et la carotte coupés. Mouiller avec le sylvaner le fond de veau. Laisser réduire de moitié. Passer la sauce au chinois. Rectifier l'assaisonnement. Ajouter à la sauce les gousses d'ail.

Nettoyer et laver à plusieurs reprises les cèpes, les sécher et les couper en lamelles ou en 4. Les faire revenir à l'huile chaude dans une poêle, saler et poivrer, ajouter la mie de pain fraîche et le persil haché.

Enlever les ficelles des cailles et les dresser sur un plat. Verser la sauce aux gousses d'ail autour et servir à part les cèpes.

CRÉPINETTES DE LAPEREAU

Ingrédients pour 6 personnes :

1 lapin de 1,5 kg à 2 kg
100 g de beurre
1 mirepoix :
1 oignon
1 carotte
20 g de beurre
1 tasse de madère
2 échalotes
150 g de champignons de Paris
2 cuillerées à soupe de crème
150 g de foie gras
1 truffe de 20 g
150 g de crépine de porc
100 g de mie de pain fraîche
Sel, poivre

Enduire de beurre le lapereau, le saler et le poivrer. Le mettre dans une cocotte et le rôtir au four durant 30 minutes ; le tenir légèrement rosé. A mi-cuisson, ajouter la mirepoix bien dorée et mouiller avec le madère et un peu d'eau.

Sortir le lapereau de la cocotte, le désosser et le hacher grossièrement au couteau et non au hachoir.

Hacher les échalotes et les champignons et les faire suer au beurre. Mouiller avec le jus de cuisson du lapereau et laisser réduire presque à sec. A ce moment-là, ajouter la crème et le hachis de lapereau. Donner quelques bouillons afin de faire pénétrer la saveur dans la chair moelleuse du lapereau.

Quand la masse est un peu refroidie, ajouter le foie gras et la truffe coupés en dés. Assaisonner.

Étendre la crépine de porc sur une planche. La couper en morceaux ; sur chaque morceau poser 2 cuillerées à soupe de farce de lapereau ; rabattre la crépine et façonner des galettes rondes ou en forme de côtelettes.

Tremper ces crépinettes dans le beurre fondu et dans la mie de pain fraîche et faire cuire dans une poêle avec du beurre clarifié. Quand les crépinettes sont bien croustillantes, les dresser sur un plat.

Servir avec un gratin de poireaux.

142

PAIN DE LAPEREAU EN CHARTREUSE

Ingrédients pour 6 personnes :

500 g de chair de lapereau cuit
250 g de veau cru
4 œufs
1 petit pain trempé au lait
1 oignon
1 cuillerée à soupe de persil haché et fines herbes
1 petite tasse de crème
6 carottes
6 navets
250 g de petits pois
100 g de beurre
Sel et poivre, pointe de muscade

Ce plat sert à utiliser un reste de viande cuite : poulet, canard ou veau. Le pain prend alors le nom de la viande utilisée. Il faut toujours ajouter une partie de viande crue.

Hacher au hachoir à la grille moyenne la viande de lapin et la viande de veau cru, ainsi que le petit pain trempé au lait et l'oignon sué au beurre. Mettre dans une terrine et mélanger avec les œufs, la crème et les fines herbes. Saler et poivrer ; ajouter la pointe de muscade.

Couper en rondelles régulières les carottes et les navets. Les blanchir légèrement, ainsi que les petits pois.

Beurrer grassement un moule à charlotte. Le chemiser avec une rangée de carottes, ensuite une rangée de petits pois, puis les rondelles de navets et ainsi de suite jusqu'au bord du moule. Le beurre fait tenir les légumes. Remplir le moule avec la farce de lapereau. Recouvrir d'un papier sulfurisé. Placer le moule dans un bain-marie et faire cuire au four durant 45 minutes. Sortir le moule et le laisser un peu reposer (10 minutes environ).

Démouler sur un plat rond. Badigeonner les légumes avec un peu de beurre fondu et napper autour avec un reste de jus du lapereau.

Servir avec une purée de lentilles ou une purée de pommes de terre mousseline.

On peut également couper les légumes en bâtonnets. A ce moment-là on prend des haricots verts coupés d'égale longueur.

GIBIER

NOISETTES DE CHEVREUIL SAINT- HUBERT
CUISSOT DE MARCASSIN AU POIVRE VERT
CIVET DE LIÈVRE
RÂBLE DE LIÈVRE A LA CRÈME ET CROQUETTES
  A L'ALSACIENNE
LIÈVRE A LA ROYALE
FAISAN AU PORTO
BALLOTTINE DE FAISAN AUX NAVETS CONFITS
CANARD SAUVAGE AU SANG
CÔTELETTES DE PERDREAUX ROMANOFF

NOISETTES DE CHEVREUIL SAINT-HUBERT

Ingrédients pour 4 personnes :

Une selle de chevreuil de 2 kg
150 g de beurre
150 g de crème fraîche
5 cl de cognac
Sel et poivre

1 cuillerée à soupe de gelée
   de groseille
2 cuillerées à soupe de tomate
   concentrée
1 bouquet garni

Pour la marinade :

75 cl de vin rouge
1 oignon et 1 petite carotte, coupés
   en petits dés (mirepoix)
1 branche de persil
1 fragment de thym

1 clou de girofle
1 pincée de romarin
6 baies de genièvre
1/2 feuille de laurier

Pour la garniture :

4 pommes reinettes coupées en moitiés et évidées
1/2 litre de vin blanc
100 g de confiture d'airelles ou de myrtilles
250 g de chanterelles sautées au beurre

Dépouiller, désosser la selle de chevreuil et faire macérer les filets dans une bonne marinade au vin rouge avec oignon, carotte, persil, thym, laurier, clou de girofle, romarin et baies de genièvre. Laisser dans la marinade durant la nuit.

Préparer un fond de gibier. Faire sauter au beurre les parures de la selle puis ajouter la mirepoix égouttée de la marinade. Laisser bien dorer et mouiller avec la marinade, ajouter la tomate concentrée et le bouquet garni. Laisser mijoter pendant 1 heure à découvert en écumant. Passer ensuite ce fond au chinois.

Tailler les filets en 8 noisettes, saler, poivrer. Les faire sauter au beurre en les gardant légèrement roses.

Déglacer la sauteuse avec le cognac, ajouter le fond de gibier. Monter la sauce à la crème et au beurre. Ajouter la gelée de groseille. Rectifier l'assaisonnement.

Dresser les noisettes de chevreuil sur un plat chaud et les napper de la sauce. Placer d'un côté les demi-pommes pochées pendant 10 minutes au vin blanc et garnies d'airelles ou de myrtilles et, de l'autre côté, les chanterelles sautées au beurre.

Servir accompagnées de Wasserstriwela.

CUISSOT DE MARCASSIN
AU POIVRE VERT

Ingrédients pour 6 personnes :

1 cuissot de marcassin
50 g de beurre
Sel, poivre

Pour la marinade :

1/2 litre de sylvaner
1 cuillerée à café de vinaigre
2 oignons coupés
1 carotte en rondelles
1 gousse d'ail
1/2 feuille de laurier
2 clous de girofle
1 branche de thym
Queues de persil

Pour la sauce :

1/4 de litre de crème
1 cuillerée à soupe de poivre vert
50 g de beurre

Faire mariner le cuissot de marcassin, avec les aromates, durant la nuit.

Sortir le cuissot de la marinade et le sécher avec un linge. Saler et poivrer ; l'enduire de beurre et le rôtir au four chaud (20 minutes par kg). Au milieu de la cuisson, ajouter les légumes de la marinade. Leur donner une légère couleur dorée, puis mouiller avec la marinade et un peu d'eau. Le laisser cuire le temps nécessaire. Sortir le cuissot et le garder au chaud.

Dégraisser la cuisson, la passer au chinois et la verser dans une sauteuse. Laisser réduire, ajouter la crème et le poivre vert, ainsi que le beurre en petits morceaux. Rectifier l'assaisonnement.

Dresser le cuissot sur un plat, servir la sauce à part en saucière et accompagner d'une purée de lentilles.

CIVET DE LIÈVRE

Ingrédients pour 4 personnes :

1 lièvre	1 branche de thym
3 oignons	1/4 de feuille de laurier
1 carotte	1 bouquet garni
2 gousses d'ail	1 litre de vin rouge

Garniture :

20 petits oignons grelots
150 g de lard fumé ou salé
250 g de champignons de Paris
Sel, poivre

1 filet de cognac	1 tasse d'huile
50 g de beurre	1 cuillerée à soupe de concentré de
3 cuillerées à soupe de farine	tomates

Faire dépouiller votre lièvre par votre marchand de gibier. Faire réserver le sang et le foie. Couper le lièvre en morceaux et le faire mariner durant la nuit avec les oignons coupés en 6, la carotte coupée en rondelles et la branche de thym. Couvrir à hauteur des morceaux avec le vin rouge.

Le lendemain matin, faire égoutter les morceaux de lièvre sur une passoire. Mettre de l'huile et du beurre dans une poêle et faire dorer les morceaux de lièvre de chaque côté, ainsi que la mirepoix d'oignons et de carotte. Mettre les morceaux dans une casserole et les saupoudrer de farine. Bien faire revenir et mouiller avec le reste de vin rouge, le cognac, la marinade et la tomate concentrée, les 2 gousses d'ail écrasées avec leur peau, le bouquet garni, le 1/4 de feuille de laurier écrasé. Saler et poivrer. Bien mélanger et laisser mijoter durant 2 heures.

Cuire à part les petits oignons, couper les champignons en quartiers et les faire revenir au beurre. Couper le lard en dés ; le blanchir et faire rissoler dans une poêle.

Quant le lièvre est cuit, sortir les morceaux et les dresser dans un plat. Hacher le foie du lièvre et le mélanger avec le sang. L'ajouter à la sauce. Donner une ébullition. Passer la sauce au chinois fin. Ajouter la garniture, petits oignons, champignons et lardons. Rectifier l'assaisonnement et verser la sauce sur le lièvre.

Servir le civet de lièvre accompagné de nouilles maison.

Lièvre à la royale (recette p. 150).

RÂBLE DE LIÈVRE A LA CRÈME ET CROQUETTES A L'ALSACIENNE

Ingrédients pour 4 personnes :

2 râbles de lièvre
50 g de beurre
50 g de lard gras pour piquer
Sel, poivre

Pour la marinade :

1/2 litre de sylvaner
1 oignon coupé
1 carotte en rondelles
1/2 feuille de laurier
1 branche de thym
1 clou de girofle
1 branche de persil
1/2 gousse d'ail

Pour la sauce :

2 échalotes
1/4 de litre de crème
50 g de beurre

Croquettes à l'alsacienne :

4 tranches de foie d'oie de 40 g
Appareil à pommes duchesse
1 œuf
Pain de mie

Avec un couteau pointu, enlever la peau et les nerfs des râbles, couper le lard en bâtonnets et larder le lièvre. Vous pouvez demander à votre marchand de gibier de faire cette opération.

Faire mariner les râbles durant la nuit avec le sylvaner, l'oignon, la carotte, le persil, le clou de girofle, le laurier, la gousse d'ail et le thym.

Sortir les râbles de la marinade et les sécher sur un linge, les mettre dans une cocotte, les enduire de beurre, les saler, les poivrer et les rôtir au four chaud (250º) durant 15 minutes. Les sortir de la cocotte et les garder au chaud. Il faut que les râbles restent bien roses.

Jeter la graisse de la cuisson, remettre un peu de beurre dans la cocotte, faire suer les échalotes hachées et mouiller avec la marinade. Faire réduire. Ajouter la crème double et le beurre en petits morceaux. Saler, poivrer et rectifier l'assaisonnement. Passer la sauce au chinois.

Dresser les râbles sur un plat et les napper avec la sauce.

Préparer les croquettes à l'alsacienne : envelopper les tranches de foie d'oie dans un appareil à pommes duchesse. Les tremper dans l'œuf battu et les paner dans la mie de pain fraîche. Cuire au beurre clarifié des 2 côtés jusqu'à ce que les croquettes soient d'une belle couleur dorée. Il faut qu'elles soient bien croustillantes.

LIÈVRE A LA ROYALE

Photo page 148

Ingrédients pour 8 personnes :

1 lièvre de 3 kg
1 foie d'oie de 400 g (salé, poivré et mariné au porto et au cognac)
100 g de beurre
Sel, poivre

Pour la marinade :

1 bouteille de vin rouge
2 carottes
3 oignons
4 gousses d'ail
1 branche de thym

2 clous de girofle
1 feuille de laurier
Queues de persil
Sel, poivre

Pour la sauce :

2 cuillerées à soupe de concentré
  de tomates
2 cuillerées à soupe de farine
1 bouquet garni
1 bouteille de vin rouge
1/2 litre de bouillon

Pour la farce :

100 g de lard gras
200 g de porc
2 petits pains trempés au lait
2 échalotes
1/2 gousse d'ail
1 œuf
1 filet de cognac, sel épicé

Dépouiller le lièvre ou le faire dépouiller par votre marchand de gibier. Garder en réserve le foie, le cœur et le sang. Mettre le sang dans un bol avec 1 filet de cognac.

Placer le lièvre sur le dos et le désosser.

Faire mariner durant 12 heures le lièvre et les os dans le vin rouge, les oignons coupés en 4, les carottes coupées en rondelles, l'ail, le thym, le laurier, les clous de girofle, les queues de persil, le sel et le poivre.

Égoutter le lièvre et les os sur une passoire.

Faire la farce en passant toutes les viandes et les petits pains à la grille fine du hachoir. Mettre dans un bol. Ajouter l'œuf, les échalotes suées au beurre, l'ail, le sel épicé, et le cognac. Bien mélanger la farce.

Étendre la chair du lièvre sur le dos sur un grand papier d'aluminium, saler, poivrer. Mettre une couche de farce et placer au milieu le foie d'oie coupé en 4 dans le sens de la longueur. Recouvrir de

150

farce. Rabattre les chairs du lièvre sur la farce. L'envelopper dans le papier d'aluminium et le rouler en forme de gros boudin. Bien le ficeler.

Dans une grande cocotte, faire revenir au beurre les os du lièvre ainsi que les légumes de la marinade. Saupoudrer de farine et mouiller avec la marinade, la bouteille de vin rouge et le bouillon. Ajouter la tomate concentrée et le bouquet garni.

Placer dans la cocotte le lièvre qui doit être entièrement recouvert de fond. Mettre au four durant 2 h 30.

Sortir le lièvre. Ôter le papier et garder le lièvre au chaud. Au dernier moment, lier la sauce avec le sang. Donner un seul bouillon. Passer le tout au chinois. Rectifier l'assaisonnement.

Couper le lièvre en tranches épaisses. Le dresser sur un plat et napper avec la sauce.

Servir avec des nouilles maison ou des Wasserstriwela.

FAISAN AU PORTO

Ingrédients pour 4 personnes :

2 jeunes poules faisanes
300 g de chanterelles
4 échalotes hachées
1/4 de litre de porto
1/4 de litre de crème
150 g de beurre
Sel, poivre

Découper les faisans en 4 ou 6 morceaux. Saler et poivrer. Les faire colorer au beurre dans une poêle.

Dans une cocotte, faire suer au beurre les échalotes hachées, mettre les morceaux de faisan et mouiller avec le porto. Couvrir et laisser mijoter 20 minutes.

Nettoyer et laver les chanterelles et les cuire au beurre.

Sortir les morceaux de faisan et déglacer la cocotte avec la crème. Ajouter un peu de jus de cuisson des chanterelles et laisser réduire. Lier la sauce avec le beurre en petits morceaux. Rectifier l'assaisonnement. Remettre le faisan et les chanterelles dans la sauce. Donner un bouillon et dresser le faisan sur un plat.

Servir avec des Spätzle au beurre.

BALLOTTINE DE FAISAN
AUX NAVETS CONFITS

Ingrédients pour 6 personnes :

1 faisan
4 saucisses blanches de 80 g
1 crépine de porc
1 kg 500 de navets confits
100 g de beurre

Pour le braisage :

2 oignons
1 carotte
1 gousse d'ail
Queues de persil
1/4 de litre de madère
1 tasse de fond de veau

Pour la farce :

150 g de porc
100 g de lard
150 g de cèpes
1 œuf
2 cuillerées à soupe de crème
2 échalotes
1 pointe de 4 épices
1 filet de cognac
Un peu d'huile
Sel, poivre

Flamber le faisan et le désosser par le dos. Enlever tous les os. Garder le foie en réserve pour la farce et enlever le fiel.

Pour la farce, passer au hachoir fin le porc, le lard, le foie et les échalotes suées au beurre. Faire sauter les cèpes à l'huile et les hacher au couteau pas trop fin.

Dans un bol, mettre la viande hachée, les cèpes, l'œuf, la crème et le cognac. Assaisonner avec sel, poivre et les 4 épices. Bien mélanger le tout. Étaler cette farce sur le faisan et le rouler, l'envelopper dans la crépine de porc et le ficeler. Saler et poivrer.

Enduire la ballottine de beurre, la poser dans une cocotte avec un fond de braisage, les os de la carcasse, oignons et carotte coupés, la gousse d'ail non épluchée et les queues de persil. Mettre au four (temps de cuisson : 45 minutes). A mi-cuisson, mouiller avec le madère et le fond de veau.

Cuire les navets confits (voir recette).

Enduire d'huile les saucisses blanches et les griller.

Dégraisser le fond de cuisson et le passer au chinois. Monter ce fond avec le reste de beurre.

Sortir la ballottine et la couper en tranches.

Dresser les navets confits sur un plat ; poser dessus les petites saucisses et disposer les tranches de ballottine de faisan autour. Servir le fond à part dans une saucière.

Cotelettes de perdreaux Romanoff (recette p. 154).

CANARD SAUVAGE AU SANG

Ingrédients pour 4 personnes :

2 canards sauvages
30 g de beurre
Sel, poivre

Pour la sauce :

1/4 de litre de vin rouge
2 dl de porto
1 dl de cognac
100 g de foie gras
Les deux foies de canard
Sel, poivre, 1 pointe de Cayenne
1 branche de thym

4 échalotes
1/2 gousse d'ail
1 cuillerée à soupe de concentré de tomates
1 cuillerée à soupe de farine
30 g de beurre

Plumer les canards, les flamber et les vider, garder les foies pour la sauce, enlever le fiel.

Les enduire de beurre, les saler et les poivrer. Les rôtir dans une cocotte au four. Temps de cuisson : 20 minutes. Les sortir.

Détacher les cuisses que l'on remettra dans la cocotte car leur cuisson est plus longue. Détacher les poitrines qui doivent être bien roses et les garder au chaud.

Pour la sauce : concasser les carcasses et les presser pour en extraire le sang. Le garder en réserve pour lier la sauce. Dans la cocotte, faire suer au beurre les échalotes hachées, ajouter les carcasses, le concentré de tomates, la branche de thym et la 1/2 gousse d'ail. Faire revenir le tout et saupoudrer de farine. Mouiller avec le vin rouge et de l'eau à hauteur des carcasses. Laisser mijoter durant 20 minutes. Quand la cuisson est à moitié réduite, passer le fond au chinois.

Dans une sauteuse, verser le porto et laisser réduire jusqu'au point de caramel, ajouter le cognac et faire flamber, puis le fond des carcasses, faire bouillir et laisser réduire. Hacher les foies de canard et les ajouter à la sauce, ainsi que le foie gras et le sang. Passer le tout au mixer. Rectifier l'assaisonnement, ajouter la pointe de Cayenne et repasser le tout au chinois.

Couper les poitrines en fines aiguillettes, les poser sur le plat de service et les napper avec la sauce.

Servir les cuisses à part avec une salade. Accompagner les aiguillettes de canard au sang de Wasserstriwela.

CÔTELETTES DE PERDREAUX ROMANOFF

Photo page 152

Photo page 152

Ingrédients pour 4 personnes :

4 jeunes perdreaux
4 cuillerées à soupe de porto
1 cuillerée à soupe de cognac
Sel, poivre
1 oignon
1 carotte
1 branche de thym
1 tomate
1/8 de litre de fond de veau
6 baies de genièvre
100 g de crépine de porc
4 tranches de foie d'oie
4 lames de truffe
1/10 de litre de crème double
50 g de beurre
1/4 de litre de vin blanc

Pour la farce :

100 g de porc
100 g de lard gras
50 g de foies de volaille
2 échalotes
25 g de beurre
1 jaune d'œuf
1 pincée de sel épicé
1 cuillerée à soupe de jus de truffe

Plumer les perdreaux, les flamber, les vider. Réserver les foies et les cœurs.

Désosser les poitrines, enlever la peau et garder les pattes entières avec la cuisse en leur coupant les griffes.

Faire mariner les suprêmes avec le porto et le cognac. Saler et poivrer.

Faire la farce : passer à la grille fine du hachoir le porc, le lard, les foies de volaille et les foies et cœurs des perdreaux. Mélanger dans un bol avec les échalotes suées au beurre, le jaune d'œuf, le sel épicé et le jus de truffe. Bien mélanger le tout.

Pour la sauce : faire revenir les os des perdreaux avec l'oignon et la carotte. Déglacer avec le vin blanc, le fond de veau et la marinade des suprêmes. Ajouter la tomate coupée en 4, la branche de thym et les baies de genièvre. Laisser cuire doucement durant 1 heure. Il faut que le fond soit sirupeux.

Préparer les côtelettes : étendre la crépine de porc sur une planche. La couper en 4 rectangles de 20×15 cm. Poser dessus une mince couche de farce ; mettre au bout la patte du perdreau. Poser sur la farce les poitrines de perdreaux en mettant entre ces dernières la tranche de foie d'oie avec la lame de truffe. Recouvrir avec une deuxième couche de farce. Rabattre la crépine sur la farce et former une côtelette dont l'os est la cuisse du perdreau.

Poser les côtelettes dans un plat beurré et les cuire à four chaud (200º) durant 10 minutes. Les poitrines doivent rester légèrement roses.

Dresser les côtelettes sur le plat de service en mettant une petite manchette en papier à la patte.

Pendant la cuisson des côtelettes, préparer la sauce. Passer le fond au chinois, ajouter la crème double et le beurre en petits morceaux. Rectifier l'assaisonnement et verser la sauce sur les côtelettes. Servir avec une purée de marrons et des cèpes frais.

LÉGUMES

POMMES DE TERRE FARCIES
GALETTES DE POMMES DE TERRE
APPAREIL A POMMES DAUPHINE
TOURTE AUX POMMES DE TERRE
SUBRICS DE CHAMPIGNONS
GRATIN DE SALSIFIS
CHOU ROUGE A L'ALSACIENNE
TARTE AUX BROCOLIS
PETITS POIS ET CAROTTES A LA FRANÇAISE
GALETTES DE MAÏS
TOURTE AUX COURGETTES ET AUBERGINES
PÂTE A NOUILLES
WASSERSTRIWELA
SPÄTZLE

POMMES DE TERRE FARCIES

Ingrédients pour 6 personnes :

6 belles pommes de terre
100 g de carottes
100 g de blancs de poireaux
50 g de céleri
Un peu de truffes (facultatif)
1 cuillerée à soupe de crème
1 œuf
100 g de beurre
1 tasse de fond blanc de veau (ou bouillon)
Sel

Éplucher les pommes de terre, les creuser avec un vide-pomme dans le sens de la longueur.

Couper les légumes en julienne. Les suer au beurre, saler et poivrer. Quand les légumes sont cuits, ajouter 1 cuillerée de crème. Laisser réduire un peu. Ajouter un jaune d'œuf.

Farcir les pommes de terre avec cette farce de légumes. Les saler.

Bien les dorer au beurre dans une sauteuse.

Mouiller avec un peu de fond blanc. Couvrir.

Saler.

Cuire au four. 20 minutes à 200°.

GALETTES DE POMMES DE TERRE

Ingrédients pour 6 personnes :

1 kg de pommes de terre
3 œufs
1 oignon

3 cuillerées à soupe de persil haché
Sel, poivre, noix de muscade
Huile

Râper 1 kg de pommes de terre crues sur une râpe à fromage. Laisser égoutter les pommes de terre sur une passoire en les pressant légèrement afin d'enlever l'eau.

Mettre les pommes de terre râpées dans une terrine, ajouter 3 œufs, 1 oignon haché, le persil, le sel, le poivre et la muscade. Bien mélanger le tout.

Faire chauffer de l'huile dans une poêle et mettre 1 cuillerée à soupe de l'appareil à pommes de terre. Avec le dos de la cuillère, former de petites galettes et faire cuire des 2 côtés.

Les galettes doivent être bien croustillantes.

APPAREIL A POMMES DUCHESSE

500 g de pommes de terre
50 g de beurre
4 jaunes d'œufs
Sel, poivre, muscade

Éplucher et cuire les pommes de terre à l'eau salée, les égoutter, les sécher un peu au four et les passer à la moulinette.

Mettre la purée dans une terrine, ajouter le beurre puis les jaunes d'œufs. Saler, poivrer, ajouter une pointe de muscade. Bien mélanger. Laisser refroidir et réserver pour l'emploi.

TOURTE AUX POMMES DE TERRE

Ingrédients pour 6 à 8 personnes :

250 g de pâte demi-feuilletée ou de pâte brisée
2 cuillerées à soupe de persil haché
1,5 kg de pommes de terre
Sel, poivre, muscade
100 g de beurre
200 g d'oignons
1/4 de litre de crème double

Préparer une pâte demi-feuilletée ou une pâte brisée et la laisser reposer.

Éplucher les pommes de terre et les couper en rondelles. Émincer finement les oignons.

Faire revenir dans le beurre les pommes de terre et les oignons. Saler, poivrer et ajouter la pointe de muscade et le persil haché. Il ne faut pas les faire cuire, juste sauter. Les égoutter sur une passoire et les laisser refroidir.

Étendre la pâte en 2 abaisses rondes (fond et couvercle). Garnir une tourtière beurrée avec la plus grande abaisse et bien ranger les pommes de terre. Rabattre les bords, les badigeonner avec un peu d'eau. Recouvrir avec la deuxième abaisse. Bien presser les bords. Faire une cheminée au centre et dorer la pâte au jaune d'œuf. Faire un décor avec la pointe d'un couteau d'office. Cuire au four à 200° durant 1 heure.

10 minutes avant la fin de la cuisson, verser la crème par la cheminée.

Servir très chaud.

SUBRICS DE CHAMPIGNONS

Ingrédients pour 6 à 8 personnes :

500 g de champignons
300 g de mie de pain
50 g de fromage râpé
1 œuf + 3 jaunes

50 g de beurre
Sel, poivre
Beurre ou huile pour la cuisson
   des galettes

Couper les champignons en fine brunoise. Les saler et les laisser 5 minutes afin d'enlever l'eau de la végétation. Les presser et les sauter au beurre. Ajouter la mie de pain trempée dans du lait et bien pressée. Mélanger le tout avec le fromage râpé, l'œuf entier et les 3 jaunes. Poivrer. Rectifier l'assaisonnement.

Cuire les subrics de champignons en formant de petites galettes au beurre ou à l'huile. Bien dorer des 2 côtés.

GRATIN DE SALSIFIS

Ingrédients pour 6 à 8 personnes :

1 kg de salsifis
2 citrons
50 g de farine
1/2 litre de crème
20 g de beurre

2 cuillerées à soupe de gruyère râpé
2 échalotes
2 cuillerées à soupe de chapelure
Sel, poivre

Laver et éplucher les salsifis. Les couper en tronçons et les mettre dans l'eau citronnée.

Les faire cuire 1 heure dans un blanc salé (eau, délayer avec 50 g de farine pour 2 litres d'eau). Les égoutter sur une passoire.

Faire suer au beurre les échalotes hachées. Verser la crème et laisser réduire. Mettre les tronçons de salsifis et leur donner un bouillon. Saler, poivrer et les mettre dans un plat à gratin. Saupoudrer de gruyère râpé et de chapelure, gratiner au four durant 10 minutes.

CHOU ROUGE A L'ALSACIENNE

Ingrédients pour 6 personnes :

1 chou rouge
100 g de graisse d'oie
1 gros oignon
4 pommes reinettes
1 cuillerée à soupe de vinaigre
1/4 de litre de vin rouge
Sel, sucre, poivre

Couper le chou en 4 et enlever le trognon ainsi que les côtes épaisses. Couper le chou en julienne. Bien le laver et l'égoutter sur une passoire.

Faire mariner le chou durant la nuit avec le sel, le sucre et le vinaigre.

Faire fondre dans une cocotte la graisse d'oie et faire revenir l'oignon haché. Mettre le chou et mouiller avec le vin rouge. Saler et poivrer.

Recouvrir la cocotte avec le couvercle et laisser mijoter au four (180°) durant 1 heure 30.

Peler les pommes et les émincer. Les ajouter au chou 15 minutes avant la fin de la cuisson. Remettre au four. Quand la cuisson est terminée, il ne doit plus rester de fond de cuisson.

Rectifier l'assaisonnement et dresser le chou sur un plat.

TARTE AUX BROCOLIS

Ingrédients pour 6 personnes :

250 g de pâte brisée
1/4 de litre de crème
4 œufs
50 g de parmesan et de gruyère râpé
600 g de brocolis
125 g de lard fumé
Sel, poivre
1 pointe de noix de muscade
25 g de beurre

Nettoyer les brocolis et les cuire à l'eau salée bouillante. Cuire 10 minutes (il faut que les fleurs restent croquantes), les sortir et les rafraîchir sous l'eau froide, afin qu'ils gardent leur couleur verte. Égoutter sur une passoire.

Couper les lardons, les blanchir et les sauter au beurre.

Beurrer un moule à tarte et le foncer avec la pâte brisée ; piquer avec une fourchette et cuire à blanc pendant 10 minutes.

Préparer l'appareil à quiche. Mélanger la crème, les œufs, le sel et le poivre ainsi que la noix de muscade.

Sur la tarte précuite, placer les brocolis, les fleurs en haut, parsemer de lardons, verser l'appareil à quiche et saupoudrer de parmesan et de gruyère râpés. Mettre au four chaud durant 20 minutes. Démouler aussitôt sur une grille, afin que la pâte ne ramollisse pas.

Cette recette peut se faire également aux poireaux, ou aux choux de Bruxelles.

PETITS POIS ET CAROTTES
A LA FRANÇAISE

Ingrédients pour 6 personnes :

1 kg de petits pois frais
2 bottes de carottes nouvelles
1 laitue
20 petits oignons grelots
Sel, sucre

1 tasse de crème
2 jaunes d'œufs
1 cuillerée à soupe de cerfeuil
50 g de beurre

Dans une casserole, étuver au beurre les oignons grelots, la laitue coupée en chiffonnade et les petites carottes coupées en deux. Temps de cuisson : 15 minutes, à couvert, sur feu moyen.

Ajouter les petits pois et mouiller avec un peu d'eau. Saler et ajouter 1 pincée de sucre.

Couvrir et laisser mijoter une dizaine de minutes.

Au moment de servir, lier les petits pois avec une liaison faite avec la crème et les jaunes d'œufs. Dresser dans un plat et saupoudrer de cerfeuil haché.

GALETTES DE MAÏS

Ingrédients pour 6 personnes :

1 boîte de maïs (250 g)
3 œufs
100 g de farine

Sel, poivre
Un peu d'huile

Mettre le maïs, la farine et les œufs au mixer et faire tourner 4 minutes.

Verser dans une terrine et assaisonner.

Avec une cuillère, former de petites galettes et les cuire dans une poêle avec très peu d'huile.

TOURTE AUX COURGETTES ET AUBERGINES

Ingrédients pour 6 personnes :

400 g de courgettes
200 g d'aubergines
300 g de pâte feuilletée
1 cuillerée à soupe de fines herbes
50 g de riz cuit
250 g de tomates concassées
2 œufs
1 oignon
50 g de gruyère râpé
150 g de champignons
1 dl d'huile
1 gousse d'ail
Sel et poivre
1 jaune d'œuf pour dorer

Préparer la garniture. Éplucher à moitié dans le sens de la longueur les courgettes (en laissant 4 rangées de peau verte) et les aubergines, les couper en rondelles, les faire revenir dans l'huile. Ajouter l'oignon haché, les champignons émincés, la gousse d'ail ainsi que la tomate concassée. Saler et poivrer, laisser cuire 5 minutes et égoutter sur une passoire.

Dans une terrine, mélanger le riz, les fines herbes, le gruyère râpé et les œufs, ajouter le mélange courgettes-aubergines. Rectifier l'assaisonnement.

Étendre la pâte feuilletée en 2 abaisses minces, l'une un peu plus grande que l'autre (fond et couvercle).

Garnir un moule beurré avec la plus petite abaisse de pâte. Disposer sur cette pâte la garniture. Rabattre le bord de la pâte, le mouiller à l'aide d'un pinceau et recouvrir de l'autre abaisse de pâte. Bien souder les 2 abaisses. Faire une petite cheminée au milieu.

Dorer au jaune d'œuf et décorer le dessus avec le dos d'un couteau d'office. Mettre au four chaud (180º) durant 30 minutes. Servir en accompagnement d'un gigot d'agneau.

PÂTE A NOUILLES

500 g de farine
5 œufs
1 cuillerée à café de vinaigre
2 cuillerées à soupe d'eau
1 pincée de sel

Avec la farine, faire une fontaine en y mettant au milieu les œufs battus, le sel, le vinaigre et l'eau. Incorporer peu à peu la farine. Bien travailler la pâte et la diviser en 4 boules. Laisser reposer pendant 1 heure. Abaisser les boules au rouleau en faisant des galettes très minces. Laisser sécher sur un torchon fariné en les retournant.

Rouler les galettes sur elles-mêmes en les farinant légèrement et les détailler en minces bandes de 2 à 3 mm d'épaisseur. Étendre les nouilles sur le torchon en les soulevant légèrement avec les mains.

Mettre à bouillir une casserole d'eau salée. Y mettre les nouilles et les faire bouillir 4 minutes. Rafraîchir les nouilles à l'eau froide et les égoutter sur une passoire.

Pour le service, les chauffer au beurre dans une poêle. On peut garder 1 petite poignée de nouilles crues qu'on fait rissoler au beurre. Les parsemer sur les nouilles pour décorer.

WASSERSTRIWELA

500 g de farine
6 œufs entiers + 2 jaunes
4 cuillerées à soupe d'eau
1 pincée de sel
1 pointe de noix de muscade
100 g de beurre
Eau salée

Dans un grand bol, battre les œufs, l'eau, le sel, la noix de muscade. Ajouter la farine en mélangeant avec la spatule. Bien battre la pâte jusqu'à ce qu'elle forme des bulles. La pâte doit être bien lisse, mais coulante.

Faire bouillir une casserole d'eau salée. Placer dessus une passoire spéciale à grands trous. Verser la pâte à Wasserstriwela en la prenant avec une corne (raclette), afin de faire tomber la pâte dans l'eau bouillante. Dès que les Wasserstriwela remontent à la surface, les retirer et les rafraîchir dans l'eau froide. Les égoutter sur une passoire.

Pour le service, les faire sauter au beurre dans une poêle.

SPÄTZLE

Ingrédients pour 6 à 8 personnes :

500 g de farine
4 œufs + 2 jaunes
Sel, muscade
Un peu d'eau
100 g de beurre

Mettre la farine dans une terrine. Ajouter les œufs, les jaunes, l'eau, le sel, la muscade. Bien travailler et aérer la pâte jusqu'à ce qu'elle se détache de la terrine. Il faut que la pâte soit assez épaisse.

Faire bouillir une casserole d'eau salée. Étaler un peu de pâte sur une planche en bois. Avec une palette mouillée, couper des lamelles de pâte en les faisant tomber dans l'eau bouillante.

Dès que les spätzle remontent à la surface, les mettre dans une bassine d'eau froide.

Les égoutter sur une passoire et les faire sauter au beurre dans une poêle.

DESSERTS

PUDDING ROYAL
PUDDING FROID AUX FRAISES DES BOIS
PUDDING SAXON
PUDDING SANS SOUCI
PUDDING SAXE WEIMAR
PUDDING AU TAPIOCA
PUDDING AU PAIN D'ÉPICE ET GRAND MARNIER
ŒUFS A LA NEIGE MOULÉS AU CROQUANT
CHARLOTTE AUX POMMES GOLDEN
POMMES A LA DIPLOMATE
DIPLOMATE AU KIRSCH
BAVAROISE AUX POMMES GOLDEN
BAVAROISE RUBANNÉE
BAVAROISE AUX FRAISES
BAVAROISE AU KIRSCH
BLANC MANGER AUX POIRES
CRÈME RENVERSÉE
BORDURE DE FRAISES DES BOIS AU COINTREAU
MOUSSE AU CHOCOLAT
MOUSSE GLACÉE A LA VANILLE
MOUSSE GLACÉE A LA RHUBARBE
LE FRAIS BAISER DES ÎLES
POIRES AU CARAMEL A LA GLACE VANILLE
PÊCHE HAEBERLIN
FIGUES A LA GLACE AU LAIT D'AMANDES ET
    AU COULIS DE FRAMBOISES
FRAISES ROMANOFF
MELON GLACÉ AUX FRAISES DES BOIS
PÊCHES ET FRAISES DES BOIS IMPÉRATRICE EUGÉNIE
FRAISES AU GRAND MARNIER
SOUFFLÉ GLACÉ AU MARC DE GEWURZTRAMINER
PÊCHES A L'IMPÉRATRICE
BORDURE SARAH BERNHARDT AUX FRAMBOISES
GRATIN DE BANANES
TORCHE AUX MARRONS

POMMES AU TOKAY D'ALSACE
NOQUES GRATINÉES A L'ORANGE ET AU COINTREAU
PÊCHES SOUFFLÉES CARDINAL DE ROHAN
CRÊPES MIREILLE MATHIEU
CRÊPES SOUFFLÉES AU CITRON VERT
POIRES SOUFFLÉES
BEIGNETS DE BANANES
BEIGNETS DE PÊCHES « A L'INFANTE »
BEIGNETS AUX POMMES
POIRES A L'ALSACIENNE
PROFITEROLES GLACÉES AU CHOCOLAT
KOUGLOF
BETTELMANN
BERAWEKA
TARTE AU FROMAGE BLANC
TARTE AUX FRAISES DES BOIS
SAVARINS AUX FRAISES DES BOIS ET GRAND MARNIER
GÂTEAU A L'ANANAS
JALOUSIE A L'ANANAS
TARTE AUX ABRICOTS
TARTE AUX ABRICOTS CARAMÉLISÉE
TARTELETTES CHAUDES AUX POMMES
TARTE AUX POMMES COQUELIN
TARTE AUX POMMES WEIMAR
GÂTEAU BELLE HÉLÈNE
EUGÉNIE AU KIRSCH ET BUTTAMUAS
GÂTEAU AUX MARRONS
CONGOLAIS
BEIGNETS DE CARNAVAL
PALETS AUX RAISINS
SOLFÉRINO
SOUFFLAGE
SABLÉS ROULÉS AU SUCRE CRISTAL
PÂTE FEUILLETÉE
PÂTE SUCRÉE
PÂTE BRISÉE
PÂTE A BRIOCHE
GÉNOISE
PÂTE A CHOUX
SAUCE VANILLE
COULIS DE FRAISES OU FRAMBOISES
SAUCE AUX ABRICOTS

PUDDING ROYAL

200 g de restes de brioche ou de biscuit
1/2 litre de lait
4 œufs + 2 jaunes
125 g de sucre
150 g de raisins de Corinthe
150 g de bigarreaux confits et coupés en petits dés
1 gousse de vanille
1/2 verre de kirsch
20 g de beurre

Beurrer et saupoudrer de sucre un moule à savarin. Tapisser le moule avec la brioche coupée en fines tranches. Mettre les bigarreaux et les raisins de Corinthe trempés au kirsch et recouvrir du reste de la brioche.

Faire bouillir le lait avec la vanille et la moitié du sucre. Dans un bol, fouetter les œufs et les jaunes avec le reste du sucre. Verser le lait bouillant en continuant de fouetter.

Remplir le moule à savarin avec cet appareil et faire cuire au bain-marie au four à 150° durant 45 minutes. À mi-cuisson, recouvrir d'un papier d'aluminium.

Laisser refroidir et démouler sur un plat. Servir avec une sauce vanille ou une purée de framboises.

PUDDING FROID
AUX FRAISES DES BOIS

Ingrédients pour 6 personnes :

1/2 litre de lait
1 gousse de vanille
6 jaunes d'œufs
200 g de sucre
6 feuilles de gélatine
1/2 litre de crème fraîche
500 g de fraises des bois
8 à 10 biscuits à la cuillère
3 cuillerées à soupe de gelée de groseille
3 cuillerées à soupe d'amandes effilées et grillées

Faire bouillir 1/2 litre de lait et une gousse de vanille fendue en 2. Dans une terrine, battre 6 jaunes d'œufs avec 200 g de sucre jusqu'à ce que le mélange soit blanc et mousseux.

Verser le lait bouillant sur les jaunes et remettre sur feu doux (ou au bain-marie) en cuisant jusqu'à la nappe, sans cesser de remuer.

Retirer du feu et ajouter la gélatine trempée à l'eau froide.

Laisser refroidir. Dès que la masse épaissit, ajouter le 1/2 litre de crème à demi fouettée. Mélanger avec 500 g de fraises des bois.

Verser dans un moule rincé à l'eau froide, en intercalant avec des biscuits à la cuillère recouverts de gelée de groseille et saupoudrés d'amandes effilées et grillées.

Mettre au froid et servir avec un coulis de fraises.

PUDDING SAXON

Ingrédients pour 10 personnes :

1/2 litre de lait
1 gousse de vanille
150 g de farine
150 g de beurre
200 g de sucre
50 g de fécule
1 pincée de sel
12 jaunes d'œufs et 12 blancs d'œufs
150 g de raisins de Corinthe macérés au rhum
Beurre et sucre pour le moule

Faire cuire le lait, le beurre et la vanille fendue en 2 ; ajouter 1 pincée de sel. Verser d'un seul trait la farine, comme une pâte à choux, et bien mélanger avec une spatule jusqu'à ce que la masse se détache de la casserole. Hors du feu, ajouter un à un les jaunes d'œufs.

Monter les blancs en neige en leur incorporant graduellement le sucre mélangé à la fécule. Mélanger délicatement les blancs à la masse, ainsi que les raisins de Corinthe.

Beurrer le moule à pudding, le saupoudrer de sucre semoule et y verser l'appareil aux 3/4 de la hauteur. Couvrir. Placer le moule dans un bain-marie et cuire au four à 180-200º durant 45 minutes.

Laisser reposer au bain-marie avant de démouler. Servir avec une crème à la vanille.

PUDDING SANS SOUCI

Même recette que pour le Pudding Saxon, avec une variante :

Variante : Mélanger les 150 g de raisins de Corinthe macérés au rhum avec 300 g de pommes Golden coupées en dés, macérées au rhum et sautées au beurre dans une poêle.

PUDDING SAXE WEIMAR

Ingrédients pour 10 personnes :

250 g de beurre
100 g de sucre
150 g de biscuits à la cuillère ou génoise
100 g de chocolat
8 jaunes d'œufs
12 blancs d'œufs
Sucre et beurre pour le moule

Battre le beurre ramolli jusqu'à ce qu'il devienne mousseux, ajouter 100 g de sucre, bien fouetter. Ajouter les biscuits à la cuillère (ou la génoise) émiettés. Mélanger avec le chocolat fondu et les jaunes d'œufs. Incorporer les 12 blancs battus en neige ferme.

Beurrer et saupoudrer de sucre les moules à pudding. Les remplir aux 3/4 et mettre à cuire au bain-marie 45 à 60 minutes.

Laisser reposer avant de démouler.

Servir tiède ou froid accompagné de crème vanille.

PUDDING AU TAPIOCA

Ingrédients pour 10 personnes :

1/2 litre de lait	60 g de sucre
1 gousse de vanille	7 jaunes d'œufs + 6 blancs
125 g de tapioca	en neige
60 g de beurre	Sucre pour caraméliser le moule

Faire bouillir le lait avec la gousse de vanille fendue en 2. Verser le tapioca et laisser cuire très doucement durant 15 minutes. Hors du feu, ajouter les jaunes d'œufs un à un, ainsi que le beurre.

Battre les blancs en neige en leur incorporant peu à peu le sucre. Mélanger délicatement à l'appareil au tapioca. Verser dans le moule caramélisé et cuire au bain-marie durant 45 minutes (four à 180º).

Servir avec une sauce caramel.

Avec les mêmes proportions on peut réaliser un pudding à la semoule en remplaçant le tapioca par de la semoule.

PUDDING AU PAIN D'ÉPICE ET GRAND MARNIER

Ingrédients pour 10 personnes :

200 g de sucre
8 jaunes d'œufs
175 g de beurre
250 g de pain d'épice trempé au lait et au Grand Marnier (1 tasse de lait, 1/2 verre de Grand Marnier).
80 g de chocolat
60 g d'amandes en poudre
9 blancs d'œufs en neige
100 g de sucre
Beurre et sucre pour le moule

Battre le beurre ramolli et le sucre jusqu'à ce que le mélange soit mousseux. Ajouter les jaunes d'œufs, le chocolat ramolli et 4 cuillerées à soupe de Grand Marnier

Faire tremper le pain d'épice émietté dans du lait et du Grand Marnier, et l'ajouter à cet appareil, ainsi que les amandes en poudre.

Monter les blancs en neige très ferme, en leur incorporant peu à peu le sucre (100 g).

Beurrer et saupoudrer de sucre un moule à pudding, le remplir aux 3/4 de la hauteur et le faire cuire au bain-marie, au four, 45 minutes à 200º environ.

Servir avec un sabayon au Grand Marnier.

ŒUFS A LA NEIGE MOULÉS AU CROQUANT

Ingrédients pour 4 personnes :

2 blancs d'œufs
200 g de sucre
125 g de croquant concassé
Beurre pour le moule

Dans une terrine, battre les blancs d'œufs en neige. Incorporer le sucre au fur et à mesure que les blancs montent.

Beurrer un moule à savarin et y mettre l'appareil à œufs à la neige. Pocher au four doux au bain-marie durant 30 minutes à 150°. Laisser refroidir et démouler sur un plat. Saupoudrer les œufs à la neige avec du croquant concassé. Napper le pourtour avec une crème pralinée.

Crème pralinée : ajouter 100 g de noisettes grillées et pilées à une crème anglaise.

Vous pouvez également napper d'une crème au moka en ajoutant à la crème anglaise une tasse de café très fort, additionnée d'un peu d'essence de café.

CHARLOTTE AUX POMMES GOLDEN

Ingrédients pour 6 personnes :

1 kg de pommes Golden
150 g de sucre
125 g de raisins de Corinthe
50 g de beurre
1 dl de riesling

Sucre vanillé
Un peu de cannelle
6 à 8 tranches de pain de mie
Zeste de 1/2 citron

Couper des tranches de pain de mie en rectangles de 3 cm de largeur et de la hauteur du moule à charlotte. Les badigeonner d'un côté de beurre fondu et les griller côté beurre.

Beurrer le moule à charlotte et le chemiser avec les tranches de pain de mie en les faisant se chevaucher (côté grillé contre la paroi du moule). Tapisser également le fond du moule.

Peler et couper les pommes. Les faire sauter dans la poêle avec le beurre, le sucre vanillé et la cannelle. Les mouiller au riesling. Ajouter les raisins de Corinthe gonflés dans l'eau chaude, ainsi qu'un peu de zeste de citron.

Remplir le moule de cette compote et recouvrir le tout avec le reste de pain de mie. Faire cuire à four chaud (200°) durant 30 minutes.

Laisser reposer la charlotte aux pommes avant de la démouler. La dresser sur un plat. Napper d'une sauce vanille ou d'une sauce abricot parfumée au porto.

POMMES A LA DIPLOMATE

Ingrédients pour 4 personnes :

4 pommes
1/2 litre de lait
100 g de sucre
1 cuillerée à café de sucre vanillé
3 œufs + 1 jaune
Brisures de brioche ou de biscuit
50 g de raisins de Corinthe trempés au rhum
1 gousse de vanille
Un peu de beurre

Peler les pommes, les couper en 2, enlever les pépins et les cuire dans un sirop vanillé.

Fouetter les œufs et le jaune avec 100 g de sucre. Faire bouillir le lait avec la gousse de vanille fendue en 2 et le verser bouillant sur les œufs.

Beurrer de petits moules à soufflé ou à gratin. Les remplir à moitié avec les brisures de brioche coupées en dés et les raisins de Corinthe. Verser le mélange lait-œufs sur les morceaux de brioche à hauteur des moules. Faire pocher au bain-marie durant 20 minutes. Laisser refroidir et démouler. Poser dessus les demi-pommes pochées au sirop et napper avec une sauce abricot au kirsch ou avec une sauce vanille.

DIPLOMATE AU KIRSCH

Ingrédients pour 8 personnes :

1/2 litre de lait	100 g de sucre
6 jaunes d'œufs	1 gousse de vanille
6 feuilles de gélatine	1/2 litre de crème Chantilly

100 g de raisins de Corinthe
100 g de cerises confites, dont 20 g pour le décor
100 g de confiture d'abricots
1 dl de crème Chantilly pour le décor
1 dl de kirsch
8 biscuits à la cuillère

Faire bouillir le lait avec la moitié du sucre et la gousse de vanille fendue dans le sens de la longueur. Mettre les jaunes d'œufs et le sucre dans un bol et les battre mousseux. Verser le lait bouillant sur les jaunes d'œufs et remettre sur le feu sans laisser bouillir, jusqu'à la nappe. Retirer du feu et ajouter les feuilles de gélatine préalablement trempées à l'eau froide. Passer le tout au chinois. Laisser refroidir. Dès que la crème commence à se gélifier, y mélanger la crème Chantilly.

Faire tremper les raisins de Corinthe dans l'eau bouillante, les égoutter sur une passoire et les faire macérer au kirsch avec les fruits confits coupés en dés, puis les ajouter à la crème.

Prendre un moule à charlotte et le rincer à l'eau froide sans essuyer. Verser une couche de crème dans le fond. Mettre les biscuits à la cuillère tartinés de confiture d'abricots, bien tasser ; remettre une autre couche de crème et de biscuits à la cuillère tartinés de confiture d'abricots, jusqu'à ce que le moule soit rempli. Faire attention de ne pas mettre de confiture sur les parois du moule.

Mettre au réfrigérateur durant 2 heures.

Démouler le diplomate au kirsch sur un plat et le décorer avec la crème Chantilly et le reste des cerises confites laissées entières.

Servir avec une sauce abricot délayée au kirsch.

En enlevant les fruits confits, les raisins de Corinthe et le kirsch, on peut faire un *diplomate au chocolat* en ajoutant à la crème 2 tablettes de chocolat fondu, ou un *diplomate au praliné* en y ajoutant 250 g de noisettes grillées et pilées très fin, ou encore un *diplomate au moka* en y ajoutant 1/2 tasse de café très fort et 1 cuillerée d'essence de café.

Pour le diplomate au chocolat et moka ne pas mettre de confiture d'abricots.

BAVAROISE AUX POMMES GOLDEN

Ingrédients pour 8 personnes :

800 g de pommes Golden
1/4 de litre d'eau
1 citron
1 gousse de vanille
6 feuilles de gélatine
25 g de beurre
275 g de sucre
1/2 verre de calvados ou eau-de-vie de Golden
1/4 de litre de crème fraîche (fleurette)
Crème Chantilly et 2 pommes pour décorer

Préparer la compote de pommes. Éplucher et couper en 4 500 g de pommes Golden. Les faire cuire avec 1/4 de litre d'eau, le jus de 1 citron et 1 gousse de vanille fendue en 2.

Faire tremper 6 feuilles de gélatine dans l'eau froide.

Éplucher et couper en dés 300 g de pommes Golden. Faire chauffer 25 g de beurre dans une poêle et faire rissoler les pommes en les saupoudrant de 25 g de sucre. Leur donner une légère couleur dorée. Les égoutter sur une passoire.

Passer la compote au mixer en ajoutant 250 g de sucre. Faire réduire. Ajouter hors du feu la gélatine et le 1/2 verre de calvados ou d'eau-de-vie de Golden.

Fouetter 1/4 de litre de crème fleurette.

Dès que l'appareil ci-dessus commence à se coaguler, ajouter la crème fouettée et les dés de pommes sautés au beurre.

Verser dans un moule rond rincé à l'eau froide et mettre quelques heures au froid.

Pour démouler la bavaroise : tremper le moule dans l'eau chaude.

Dresser la bavaroise sur un plat rond en la décorant de crème Chantilly et de quartiers de pommes dorés au beurre et caramélisés.

Servir à part une crème anglaise aromatisée à l'eau-de-vie de Golden.

BAVAROISE RUBANNÉE

Ingrédients pour 8 personnes :

1/2 litre de lait
4 jaunes d'œufs
1 gousse de vanille
6 feuilles de gélatine
100 g de sucre
50 g de chocolat
1/2 litre de crème Chantilly
1 rond de génoise de la grandeur du moule et de 2 cm d'épaisseur
1 tasse de crème Chantilly pour le décor
1 cuillerée à café d'huile

Travailler les jaunes avec le sucre. Cuire le lait avec la gousse de vanille fendue en 2 dans le sens de la longueur et verser le lait bouillant sur les jaunes d'œufs. Remettre sur le feu et laisser cuire jusqu'à la nappe, sans faire bouillir. Ajouter les feuilles de gélatine trempées à l'eau froide et remuer constamment. Retirer du feu et partager la crème en 2 parties. Ajouter le chocolat fondu à l'une de ces parties.

Mélanger la crème Chantilly aux 2 appareils dès qu'ils commencent à se gélifier.

Huiler un moule à charlotte et y verser les 2 appareils par couches alternées, en ayant soin de ne mettre la deuxième couche que lorsque la précédente est gélifiée. Recouvrir la dernière couche avec le rond en génoise. Placer le moule au réfrigérateur pendant 1 heure.

Tremper le moule dans l'eau tiède et le démouler sur un plat. Décorer la bavaroise avec la crème Chantilly.

BAVAROISE AUX FRAISES

600 g de purée de fraises
8 feuilles de gélatine
5 blancs d'œufs
250 g de sucre glace
1 citron
1 litre de crème Chantilly (on garde 1/4 de litre pour le décor)
12 biscuits à la cuillère

Dans une bassine, mélanger le sucre glace aux blancs d'œufs. Mettre la bassine sur feu très doux, ou au bain-marie, et fouetter jusqu'à ce que la masse devienne bien ferme. Retirer du feu et continuer de fouetter pendant que la masse refroidit.

Tremper la gélatine dans l'eau froide et la faire fondre dans un peu de purée de fraises.

Mélanger délicatement aux blancs d'œufs la pulpe de fraises, la gélatine, le jus de citron, ainsi que la crème Chantilly.

Dresser les biscuits à la cuillère dans un moule à charlotte, côté sucre glace contre la paroi. Faire une rosace de biscuits au fond. Si on a quelques fraises des bois, les mélanger à l'appareil. Remplir le moule.

Mettre au réfrigérateur durant 2 heures et démouler sur un plat. Décorer avec la crème Chantilly et quelques fraises des bois.

On peut faire cette bavaroise aux framboises.

BAVAROISE AU KIRSCH

Ingrédients pour 6 personnes :

1/2 litre de lait
1 gousse de vanille
100 g de sucre
4 jaunes d'œufs
8 feuilles de gélatine
1/2 litre de crème Chantilly
125 g de cerises confites macérées au kirsch
12 biscuits à la cuillère
Chantilly et cerises confites pour décorer

Travailler les jaunes avec le sucre. Cuire le lait avec la vanille et le verser bouillant sur les jaunes. Remettre sur le feu et cuire sur feu doux jusqu'à la nappe sans faire bouillir. On détermine ce moment en passant le doigt sur la spatule : la trace doit rester marquée. A ce moment, ajouter la gélatine qu'on aura fait tremper dans l'eau froide.

Passer le tout au chinois et laisser refroidir. Dès que l'appareil commence à se gélifier, ajouter la crème Chantilly et les cerises confites grossièrement hachées. Mélanger délicatement.

Chemiser un moule à charlotte avec des biscuits à la cuillère, côté sucre contre les parois. Remplir avec l'appareil. Laisser prendre au réfrigérateur durant 1 heure. Démouler sur un plat et décorer avec de la crème Chantilly et quelques cerises confites. Servir avec une crème vanille.

BLANC MANGER AUX POIRES

6 poires
1/4 de litre d'eau
200 g de sucre
2 cuillerées à soupe d'eau-de-vie de poires
1 rond de génoise (26 cm de diamètre et 2 cm d'épaisseur)
1/2 litre de lait
6 feuilles de gélatine
200 g d'amandes en poudre fraîchement mondées
1/2 litre de crème Chantilly
Chantilly pour décorer

Éplucher les poires. Les couper en 2 et les pocher dans un sirop (1/4 de litre d'eau - 100 g de sucre - eau-de-vie de poires).

Dans un cercle, placer 1 rond de génoise de 2 cm d'épaisseur. L'humecter d'un sirop à l'eau-de-vie de poires. Poser les demi-poires pochées sur la génoise et recouvrir de la garniture.

Préparer la garniture. Faire cuire le lait avec 100 g de sucre. Ajouter les amandes pilées et fraîchement mondées, ainsi que la gélatine (6 feuilles) trempée à l'eau froide. Laisser refroidir et, dès que la masse commence à épaissir, ajouter 1/2 litre de crème Chantilly.

Parfumer à l'eau-de-vie ou à la liqueur de poires d'Alsace. Verser cette garniture dans le cercle, sur la génoise.

Laisser refroidir quelques heures. Enlever le cercle et décorer avec de la crème Chantilly.

Servir avec un coulis de framboises.

CRÈME RENVERSÉE

Ingrédients pour 6 personnes :

200 g de sucre
1 litre de lait
1 gousse de vanille
4 jaunes d'œufs
6 œufs entiers

Pour le caramel :

200 g de sucre
6 cuillerées à soupe d'eau

Faire le caramel : mettre le sucre (200 g) et l'eau (6 cuillerées) dans un poêlon en cuivre et laisser cuire jusqu'à l'obtention de la couleur caramel. A ce moment, ajouter 2 cuillerées à soupe d'eau froide et verser le caramel dans un moule en le tournant pour que le caramel attache au fond et aux parois. Laisser refroidir.

Faire bouillir le lait avec la gousse de vanille fendue dans le sens de la longueur. Dans une terrine, fouetter les œufs et les jaunes avec le sucre (200 g). Ajouter le lait bouillant tout en remuant.

Verser la crème dans le moule caramélisé et faire cuire au bain-marie durant 45 minutes, four à 180º. Ne pas oublier de mettre un papier au fond de la plaque pour empêcher l'eau de bouillir.

Sortir du four et laisser refroidir. Démouler sur un plat.

BORDURE DE FRAISES DES BOIS AU COINTREAU

Cuire l'appareil à crème renversée (recette précédente) dans un moule à savarin.

Démouler sur un plat et remplir le puits avec des fraises des bois macérées au sucre et au Cointreau.

Décorer avec de la crème Chantilly et parsemer de quelques fraises des bois.

Figues à la glace au lait d'amandes et au coulis de framboises (recette p. 191).
Beignets aux pommes (recette p. 207).
Pêches soufflées cardinal de Rohan (recette p. 201).
Profiteroles glacées au chocolat (recette p. 209).

MOUSSE AU CHOCOLAT

Ingrédients pour 6 personnes :

3 blancs d'œufs
40 g de sucre
250 g de chocolat à croquer
3 jaunes d'œufs
50 g de beurre
50 g de sucre glace
1/4 de litre de crème Chantilly
Chocolat et sucre glace pour décorer

Faire fondre le chocolat au bain-marie. Puis, hors du feu, ajouter le beurre ramolli en fouettant : le mélange doit être en pommade.

Incorporer alors les jaunes d'œufs. Laisser un peu refroidir.

Monter les blancs en neige ferme, en ajoutant 40 g de sucre à mi-parcours. Verser l'appareil sur les blancs montés en neige et mélanger délicatement, ainsi que la crème Chantilly.

La mousse se sert soit dans un verre individuel, soit dans une coupe de cristal. Décorer la surface de copeaux de chocolat râpé avec un épluche-légumes et saupoudrer de sucre glace.

Dans tous les cas, la servir bien froide, accompagnée d'une tranche de kouglof ou de petits fours secs. On peut l'accompagner aussi d'une sauce vanille (crème anglaise).

La mousse est meilleure lorsqu'on la prépare la veille.

MOUSSE GLACÉE A LA VANILLE

8 jaunes d'œufs
1/4 de litre de sirop de sucre à 30°
1 gousse de vanille
1/2 litre de crème fleurette
Pour décorer :
Crème Chantilly et copeaux de chocolat râpé

Fouetter sur feu doux ou au bain-marie les 8 jaunes d'œufs avec le sirop de sucre et la gousse de vanille fendue en 2. Il faut que la masse devienne ferme et colle au fouet.

Enlever du feu et fouetter jusqu'à refroidissement.

Mettre dans un bol et ajouter peu à peu la crème Chantilly ferme. Mélanger délicatement.

Verser dans un moule en forme de cœur et mettre au congélateur durant 3 heures.

Démouler sur un plat et napper le pourtour d'une sauce au chocolat. Décorer avec de la crème Chantilly et râper sur le dessus quelques copeaux de chocolat.

MOUSSE GLACÉE A LA RHUBARBE

Ingrédients pour 6 personnes :

500 g de rhubarbe + 200 g de sucre (100 g pour macération,
    100 g pour cuisson)
1/2 verre de vin blanc
200 g de sucre semoule
4 jaunes d'œufs
1/2 citron
Vanille
1/2 litre de crème Chantilly
1/4 de litre de coulis de framboises
Chantilly pour décorer

Peler la rhubarbe, la couper en morceaux de 4 cm et la laisser macérer durant la nuit avec 100 g de sucre. La cuire avec le sucre, le vin blanc et le jus du 1/2 citron jusqu'à ce que la rhubarbe tombe en morceaux. Laisser refroidir.

Mettre dans une casserole les 4 jaunes d'œufs, le sucre et la vanille. Battre mousseux sur feu doux, ou encore mieux, au bain-marie. Dès que la masse commence à épaissir, retirer du feu et refroidir en continuant de fouetter.

Mélanger cet appareil avec la crème Chantilly et la purée de rhubarbe. Verser dans un moule et mettre au congélateur durant 3 heures.

Démouler sur un plat et napper autour avec le coulis de framboises. Décorer la mousse avec de la crème Chantilly.

LE FRAIS BAISER DES ÎLES

Grand prix de la Poêle d'Or

Ingrédients pour 8 personnes :

8 poires pochées au sirop

Glace au chocolat :

1/2 litre de lait
1/2 litre de crème
10 jaunes d'œufs
300 g de sucre
80 g de cacao amer

Sabayon au rhum :

4 dl de vin blanc
1 dl de rhum
8 jaunes d'œufs
150 g de sucre

2 feuilles de gélatine
1/4 de litre de crème Chantilly
1 tasse de crème Chantilly pour
 décorer

Préparer la glace au chocolat : faire bouillir le lait et la crème Pendant ce temps, à part, mélanger les jaunes d'œufs, le sucre et le cacao et fouetter pendant quelques minutes. Verser le lait bouillant sur les jaunes en fouettant sans arrêt. Mettre sur feu doux ou au bain-marie, ne pas faire bouillir. Dès que la crème commence à épaissir, la retirer du feu et la laisser refroidir en la fouettant de temps en temps.

Mettre dans la sorbetière ; lorsque la glace au chocolat a pris une certaine consistance, verser dans un moule ; laisser au congélateur.

Faire le sabayon au rhum. Dans une casserole chauffer le vin et le rhum (attention de ne pas faire flamber). Dans un bol, mélanger les jaunes et le sucre en les fouettant quelques minutes. Verser le vin petit à petit sur les jaunes. Remettre sur le feu au bain-marie en fouettant doucement durant 10 minutes, jusqu'au ruban. Ajouter les 2 feuilles de gélatine trempées à l'eau froide. Hors du feu, continuer de fouetter jusqu'à refroidissement. A ce moment, mélanger au sabayon la crème fouettée.

Démouler la glace au chocolat sur un plat. Dresser autour les poires pochées et les napper avec le sabayon au rhum. Décorer avec la crème Chantilly et des palmiers en chocolat.

POIRES AU CARAMEL
A LA GLACE VANILLE

Ingrédients pour 8 personnes :

8 poires
2 citrons
400 g de sucre
1 litre d'eau
1 gousse de vanille

Pour la sauce caramel :

250 g de sucre
1 dl d'eau
1/2 tasse d'eau chaude
1/4 de litre de crème double

Pour la glace vanille :

1/2 litre de lait
1/2 litre de crème
1 gousse de vanille
10 jaunes d'œufs
200 g de sucre
1/4 de litre de crème fraîche

Peler les poires, les laisser entières et les pocher dans un sirop vanillé auquel on ajoute le jus de 2 citrons. Laisser refroidir.

Préparer la glace à la vanille avec les ingrédients indiqués.

Préparer la sauce caramel. Dans une casserole, mélanger 250 g de sucre avec 1 dl d'eau, laisser cuire jusqu'à ce que le sucre commence à brunir. A ce moment, ajouter une 1/2 tasse d'eau chaude et laisser un peu décuire.

Laisser refroidir et ajouter 1/4 de litre de crème double en mélangeant.

Dresser les poires sur un plat, les napper de la sauce caramel et les servir avec la glace vanille.

PÊCHE HAEBERLIN

8 pêches pochées au sirop vanillé

Glace pistache :

1/2 litre de lait
1/2 litre de crème
250 g de sucre
1 gousse de vanille
10 jaunes d'œufs
150 g de pistaches fraîchement mondées
2 gouttes d'amandes amères

Sabayon au champagne :

1 bouteille de champagne
300 g de sucre
16 jaunes d'œufs
Crème Chantilly pour décorer

Préparer la glace vanille. Faire bouillir le lait et la crème avec la gousse de vanille et la moitié du sucre. Dans un bol, battre les jaunes avec le sucre restant et y verser le lait bouillant. Remettre sur feu doux (ou au bain-marie) et cuire jusqu'à la nappe. Retirer du feu et ajouter les pistaches fraîchement mondées et pilées, ainsi que quelques gouttes d'amandes amères. Passer au chinois et mettre dans la sorbetière.

Faire le sabayon au champagne. Dans une casserole, battre les jaunes d'œufs avec le sucre jusqu'à ce que le mélange blanchisse. Ajouter la bouteille de champagne. Mettre sur feu doux au bain-marie et fouetter jusqu'à ce que la masse épaississe. Retirer du feu et fouetter jusqu'au refroidissement.

Sur une grande assiette creuse, placer la pêche ainsi que 2 grosses boules de glace pistache. Napper avec le sabayon au champagne et décorer avec un peu de crème Chantilly.

FIGUES A LA GLACE
AU LAIT D'AMANDES
ET AU COULIS DE FRAMBOISES

Photo page 184

Photo page 184

Ingrédients pour 4 personnes :

1/2 litre de lait
6 jaunes d'œufs
200 g de sucre
1 gousse de vanille
100 g d'amandes en poudre
12 figues fraîches
2 dl de purée de framboises
100 g de crème Chantilly
1 cl de crème de cacao liqueur
1 cuillerée à soupe d'amandes effilées et grillées

Porter à ébullition le lait et la gousse de vanille fendue en 2 dans le sens de la longueur.

Dans un bol, fouetter les jaunes d'œufs et le sucre pour faire blanchir le mélange.

Verser le lait bouillant sur les jaunes d'œufs en continuant de fouetter. Porter le mélange sur feu doux (ou bain-marie) et fouetter jusqu'à la nappe (c'est-à-dire qu'en tirant un trait avec le doigt sur la spatule, la trace doit rester marquée).

Ajouter les amandes en poudre et laisser refroidir en fouettant de temps en temps. Passer au chinois et verser dans la sorbetière. Lorsqu'elle est prise, dresser la glace au lait d'amandes dans un moule et remettre au congélateur.

Éplucher les figues et les mettre à macérer dans la liqueur de cacao.

Démouler la glace au lait d'amandes sur un plat rond et décorer avec de la crème Chantilly. Dresser autour les figues nappées avec le coulis de framboises. Parsemer la crème Chantilly de quelques amandes effilées et légèrement grillées.

Servir avec une pâtisserie légère.

FRAISES ROMANOFF

Ingrédients pour 6 personnes :

1 kg de fraises
100 g de sucre
1 verre de Grand Marnier
1/2 litre de glace à l'orange
1 orange
Crème Chantilly pour décorer

Laver et équeuter les fraises. Les saupoudrer de sucre et les laisser macérer dans le Grand Marnier.

Démouler la glace à l'orange. Disposer autour les fraises macérées. Décorer la glace avec de la crème Chantilly et des quartiers d'orange pelés à vif.

MELON GLACÉ AUX FRAISES DES BOIS

Ingrédients pour 4 personnes :

4 petits melons
250 g de fraises des bois
2 cuillerées à soupe de sucre en poudre
Crème Chantilly pour décorer

Pour le sorbet :

La chair des 4 melons (environ 500 g de purée)
1/4 de litre de sirop à 30°
Le jus de un 1/2 citron

192

Préparer le sorbet. Couper les melons en 2 et enlever les pépins, avec une cuillère à soupe, enlever la chair de la moitié des melons et la passer au mixer. Ajouter le sirop et le jus de citron. Mettre dans la sorbetière.

Faire macérer les fraises dans le sucre.

Couper en dés la chair restante des melons (ou l'extraire sous forme de boules avec une cuillère à pommes parisiennes). Remplir à moitié les écorces de melon avec le sorbet et recouvrir avec les dés (ou les boules) de melons et les fraises macérées.

Décorer de crème Chantilly. Servir les melons sur un lit de glace pilée.

PÊCHES ET FRAISES DES BOIS IMPÉRATRICE EUGÉNIE

Ingrédients pour 6 personnes :

6 belles pêches
40 g de sucre
4 cuillerées à soupe de kirsch
400 g de fraises des bois
Sabayon au champagne

Choisir des pêches bien mûres. Les ébouillanter, les rafraîchir dans l'eau froide et les peler.

Les couper en 2, les dénoyauter, les saupoudrer de sucre et les arroser de kirsch. Les dresser, le côté évidé vers le haut, sur un plat creux ou une coupe en cristal. Les recouvrir de fraises des bois. Les garder au frais.

Avant de servir, napper le tout d'un sabayon au champagne bien frais.

Servir accompagné de petites pâtisseries.

FRAISES AU GRAND MARNIER

Ingrédients pour 4 personnes :

750 g de fraises
50 g de sucre
2 cuillerées à soupe de Grand Marnier

Pour la sauce mousseline :
4 jaunes d'œufs
200 g de sucre
Un peu de sucre vanillé
1 feuille de gélatine
1/4 de litre de crème Chantilly

Faire macérer les fraises avec le sucre et le Grand Marnier. Les dresser dans des coupes et les recouvrir d'une sauce mousseline. Servir avec quelques tuiles légères.

SAUCE MOUSSELINE

Fouetter au feu les jaunes d'œufs et le sucre jusqu'à ce que l'appareil épaississe. Lui ajouter à ce moment la feuille de gélatine trempée à l'eau. Laisser refroidir en fouettant de temps en temps. Quand l'appareil est presque froid, lui ajouter la crème Chantilly.

SOUFFLÉ GLACÉ
AU MARC DE GEWURZTRAMINER

Ingrédients pour 8 personnes :

6 jaunes d'œufs
1 verre de traminer
230 g de sucre
1 dl de marc de gewurztraminer
1/2 litre de crème Chantilly
3 blancs d'œufs
Cacao en poudre pour décorer ou croquant concassé

Fouetter au bain-marie ou sur feu doux 6 jaunes d'œufs avec un verre de traminer et 150 g de sucre jusqu'à consistance du ruban.

Retirer du feu. Continuer à fouetter jusqu'à complet refroidissement. Ajouter 1 dl de marc de gewurztraminer et mélanger avec 1/2 litre de crème Chantilly et 3 blancs montés en neige ferme auxquels on a ajouté 80 g de sucre.

Avec une agrafe, coller autour du moule à soufflé un carton dépassant ce moule de 3 cm.

Remplir ce moule avec l'appareil à soufflé et mettre à congeler durant 3 heures.

Enlever le carton et, pour imiter l'apparence d'un soufflé, saupoudrer d'un peu de cacao en poudre ou de croquant concassé.

On peut ajouter au milieu du soufflé quelques morceaux de biscuits à la cuillère imbibés de marc, ainsi que quelques raisins macérés au marc.

On peut faire ce soufflé avec toutes les liqueurs.

PÊCHES A L'IMPÉRATRICE

Ingrédients pour 6 personnes :

Pour le riz à l'Impératrice :

1 litre de lait
100 g de riz
50 g de sucre
1 gousse de vanille
100 g de fruits confits
3 feuilles de gélatine
1/4 de litre de crème Chantilly
1 prise de sel
1 cl de kirsch

6 pêches pochées
1/4 de litre de coulis de fraises
1 cuillerée à soupe d'amandes effilées
Chantilly pour décorer
Quelques cerises confites

Blanchir le riz quelques minutes dans l'eau bouillante. Le rafraîchir sous l'eau froide et l'égoutter sur une passoire.

Faire bouillir le lait dans une cocotte avec la gousse de vanille fendue en 2 et la prise de sel. Verser le riz et laisser cuire à couvert au four durant 30 minutes. Si le riz n'a pas absorbé tout le lait, donner une cuisson supplémentaire.

Ajouter au riz le sucre et les feuilles de gélatine trempées à l'eau froide et laisser refroidir en remuant de temps en temps. Ajouter les fruits confits hachés et macérés au kirsch et la crème Chantilly (pas trop ferme, sinon elle se mélange mal avec le riz). Dresser dans un moule à savarin préalablement rincé à l'eau froide et laisser refroidir au frais.

Démouler sur un plat et décorer avec de la crème Chantilly et des fruits confits. Dresser autour les pêches nappées du coulis de fraises et parsemer de quelques amandes effilées, légèrement grillées.

BORDURE SARAH BERNHARDT
AUX FRAMBOISES

Ingrédients pour 6 personnes :

Pour le riz à l'Impératrice :

100 g de riz
1 litre de lait
1 gousse de vanille
50 g de sucre
3 feuilles de gélatine
100 g de fruits confits
4 cuillerées à soupe de kirsch
1/4 de litre de crème Chantilly
Sel

Pour la gelée au champagne :

1/2 bouteille de champagne
1/2 litre d'eau
300 g de sucre
10 feuilles de gélatine (20 g)
1 citron
2 blancs d'œufs

Pour décorer :

1 kg de framboises
Crème Chantilly

Faire un riz à l'Impératrice comme pour les pêches à l'Impératrice, mais chemiser un moule à savarin avec une gelée au champagne.

Préparer la gelée au champagne. Mettre dans une casserole 1/2 litre d'eau, 300 g de sucre, 20 g de gélatine trempée à l'eau froide, le zeste de 1/2 citron et le jus de 1 citron, 1 ou 2 blancs d'œufs légèrement battus. Amener lentement à ébullition en fouettant sans arrêt. Retirer aussitôt du feu. Passer la gelée à travers un linge mouillé et y ajouter 1/2 bouteille de champagne brut. Chemiser toutes les parois et le fond d'un moule à savarin avec la gelée. Laisser au froid.

Dès que le moule est chemisé et bien froid, y mettre l'appareil à riz à l'Impératrice. Mettre au froid durant 3 heures.

Démouler sur un plat rond en trempant le moule dans l'eau tiède. Remplir le creux du moule avec des framboises et décorer avec de la crème Chantilly.

GRATIN DE BANANES

Ingrédients pour 6 personnes :

6 bananes
25 g de beurre
3 cuillerées à soupe de sucre
80 g de macarons écrasés
100 g de beurre fondu

Éplucher et couper les bananes en 2 dans le sens de la longueur.

Poser les demi-bananes dans un plat à gratin beurré. Les saupoudrer de sucre et de macarons écrasés. Arroser de beurre fondu et faire gratiner à four chaud (200° pendant 15 minutes environ).

Servir chaud avec un sabayon au rhum.

TORCHE AUX MARRONS

Ingrédients pour 8 personnes :

1 kg de marrons
1/4 de litre de sirop de sucre à 30°
1/2 verre de rhum
200 g de beurre
3 blancs d'œufs pour la meringue
150 g de sucre
Chantilly pour décorer
8 marrons glacés

Inciser 1 kg de marrons et les cuire à l'eau légèrement salée. Les presser sur une grille à tarte pour en extraire la purée.

Passer la purée au tamis fin pour éliminer toutes les peaux et la mélanger tiède avec 1/4 de litre de sirop, un 1/2 verre de rhum et 200 g de beurre ramolli.

Préparer la meringue en battant en neige 3 blancs d'œufs. Ajouter à mi-parcours 20 g de sucre. Puis incorporer tout le sucre lorsque les blancs sont montés.

Dresser le fond de meringage (de la taille d'une tarte) sur une plaque beurrée et cuire au four (75 minutes à 150°). Le poser sur un plat. Mettre la purée de marrons dans le hachoir à viande et la passer à la grille moyenne.

La purée de marrons forme ainsi des vermicelles que l'on mettra sur le fond de meringue en tournant le plat sous la grille. Décorer de crème Chantilly et de marrons glacés.

POMMES AU TOKAY D'ALSACE
sous un léger feuilletage

Ingrédients pour 6 personnes :

12 pommes reinettes
200 g de sucre
200 g de feuilletage
150 g de raisins de Corinthe
1 verre de tokay d'Alsace
1 zeste de citron
Cannelle et 1 soupçon de gingembre râpé
25 g de beurre
1/4 de litre de crème double
1 jaune d'œuf pour dorer

Peler les pommes et les émincer. Ajouter le sucre, le zeste de citron râpé, la cannelle, le soupçon de gingembre et les raisins de Corinthe gonflés à l'eau chaude.

Beurrer un plat en terre et y mettre les pommes. Les asperger du tokay d'Alsace. Recouvrir le plat avec une mince abaisse en feuilletage. Dorer la surface au jaune d'œuf. Faire quelques décors avec le dos du couteau d'office. Faire attention de ne pas trouer la pâte. Mettre au four à 180°, temps de cuisson : 25 à 30 minutes.

Servir chaud avec une saucière de crème double à demi fouettée.

NOQUES GRATINÉES
A L'ORANGE ET AU COINTREAU

Ingrédients pour 6 personnes :

Pour la pâte à choux :

1/4 de litre de lait
90 g de beurre
170 g de farine
20 g de sucre semoule

5 ou 6 œufs
Le zeste de 1/2 d'orange, râpé
1 pincée de sel

Pour la cuisson des noques :

1/2 litre de lait
1/2 gousse de vanille

Pour le gratin des noques :

60 g de beurre noisette
4 cuillerées à soupe de sucre
Mélanger 1/8 de litre de crème fleurette
          1/8 de litre de lait
          1 cuillerée à soupe de Cointreau

Pour la pâte à choux : dans une casserole, faire bouillir le lait avec le beurre, 1 pincée de sel et le sucre. Verser d'un seul trait la farine tamisée. Dessécher sur le feu avec une spatule jusqu'à ce que la pâte se détache bien de la casserole. Retirer du feu et ajouter un à un les 5 ou 6 œufs, le zeste râpé de 1/2 orange. Laisser refroidir.

Faire bouillir 1/2 litre de lait avec 1 gousse de vanille fendue en 2. Mettre la pâte à choux dans une poche à douille ronde et placer la poche au-dessus du lait bouillant. Pousser de petites noques de 2 cm de longueur en les coupant chaque fois à ras de la douille avec un petit couteau trempé dans le lait chaud. Les noques sont terminées dès qu'elles remontent à la surface. Les sortir avec une écumoire sur une passoire. Les ranger dans un plat à gratin beurré. Les badigeonner avec le beurre noisette et les saupoudrer de sucre. Les mettre au four à 150° durant 10 minutes. Les sortir et ajouter le mélange crème, lait, Cointreau.

Remettre au four jusqu'à ce que le tout soit bien doré.

Servir aussitôt avec une crème vanille parfumée au Cointreau.

Beignets de bananes (recette p. 205).

PÊCHES SOUFFLÉES
CARDINAL DE ROHAN

Photo page 184

Ingrédients pour 6 personnes :

6 belles pêches pochées
6 fonds de génoise
4 œufs
1 cuillerée à soupe d'eau-de-vie de framboises
150 g de sucre semoule
6 grosses boules de glace vanille
1 cuillerée à soupe de sirop de sucre
1/4 de litre de coulis de framboises
Sucre glace

Détailler des fonds de génoise en morceaux de la grandeur des pêches et les imbiber d'un sirop à l'eau-de-vie de framboises. Fendre les pêches en 2, enlever le noyau et mettre à la place la boule de glace vanille.

Reformer les pêches et les placer sur les tampons de génoise. Les poser sur un plat beurré allant au four. Battre mousseux les 4 jaunes d'œufs et la moitié du sucre. Monter les blancs en neige ferme en ajoutant de temps en temps 1 cuillerée à soupe de sucre semoule. Mélanger les jaunes aux blancs en neige. Mettre cet appareil dans une poche à douille cannelée et recouvrir les pêches. Saupoudrer de sucre glace et passer le plat au four très chaud. Temps de cuisson : 5 minutes.

Il faut que la glace vanille reste ferme et ne fonde pas à l'intérieur des pêches (pour cela, on peut poser le plat de pêches sur une plaque recouverte de glaçons). Dès que le dessus est bien caramélisé, sortir très vite les pêches du four et les servir sur une assiette entourée d'un coulis de framboises.

CRÊPES MIREILLE MATHIEU

Ingrédients pour 6 personnes :

Appareil à crêpes :

125 g de farine
1/4 de litre de lait
100 g de beurre noisette
1 cuillerée à soupe de sucre
2 œufs + 1 jaune
1 zeste de citron râpé
1 pincée de sel

Garniture :

6 cuillerées à soupe de confiture d'abricots
6 poires pochées
1 verre de liqueur et d'eau-de-vie de poires
Beurre pour le plat
Sucre glace

Faire des crêpes très fines et les tartiner d'une légère couche de confiture d'abricots. Mettre sur chaque crêpe une 1/2 poire émincée et plier les crêpes en aumônière. Dresser les crêpes sur un plat beurré, les saupoudrer de sucre glace et les passer au four. Les flamber avec une liqueur de poires et de l'eau-de-vie de poires.

Servir avec une glace caramel.

CRÊPES SOUFFLÉES
AU CITRON VERT

Ingrédients pour 12 personnes :

Appareil à crêpes :

250 g de farine
4 œufs + 3 jaunes
3/4 de litre de lait
100 g de beurre noisette

50 g de sucre
1 pincée de sel
1 zeste de citron

Crème pâtissière :

1/2 litre de lait
6 jaunes
50 g de farine
1/2 gousse de vanille
100 g de sucre

Le zeste de 1 citron
et le jus de 2 citrons verts
8 blancs d'œufs
50 g de sucre semoule
30 g de sucre glace

Faire la pâte à crêpes : mettre dans un bol la farine, le sucre, les œufs, le sel et le zeste de citron râpé. Faire cuire le beurre jusqu'à ce qu'il prenne une légère couleur noisette, c'est-à-dire à peine coloré. Ajouter ce beurre et mélanger avec le lait. La pâte doit être liquide.

Cuire les crêpes de chaque côté et les garder au chaud recouvertes d'une assiette (on compte 2 crêpes par personne).

Faire la crème pâtissière : mélanger dans un bol les jaunes d'œufs, le sucre et la farine. Faire bouillir le lait et la vanille et le verser bouillant sur le mélange en fouettant. Remettre sur le feu et donner quelques bouillons à la crème. Bien fouetter pour qu'elle n'attache pas. Ajouter le zeste de citron râpé, ainsi que le jus des 2 citrons verts.

Monter les blancs en neige, en leur incorporant peu à peu les 50 g de sucre.

Mélanger délicatement les blancs à la crème pâtissière encore tiède.

Beurrer un plat allant au four. Étaler et fourrer les crêpes avec la crème. Les replier en forme de chaussons. Les disposer dans le plat. Il faut faire attention qu'elles ne se touchent pas. Saupoudrer de sucre glace et mettre au four à 200° durant 8 à 10 minutes.

Les sortir et les servir aussitôt accompagnées d'un coulis de framboises.

POIRES SOUFFLÉES

1 génoise de 26 cm de diamètre
2 cuillerées à soupe de sirop de sucre vanillé
2 cuillerées à soupe d'eau-de-vie de poires
4 belles poires
Un peu de confiture d'abricots

Pour l'omelette soufflée :

3 jaunes d'œufs
6 blancs d'œufs
100 g de sucre
2 cuillerées à soupe d'eau-de-vie de poires

Pocher les poires dans un sirop vanillé.

Préparer l'omelette soufflée : battre mousseux 3 jaunes d'œufs et 100 g de sucre. Monter les 6 blancs d'œufs en neige. Ajouter 2 cuillerées d'eau-de-vie de poires d'Alsace. Mélanger délicatement aux jaunes et sucre. Poser le fond de génoise dans un moule rond beurré ou sur un plat beurré.

Sur ce fond de génoise imbibée à l'eau-de-vie de poires, placer les 1/2 poires. Les napper de confiture d'abricots.

Recouvrir le tout de l'appareil à omelette soufflée.

Cuire au four à 180° pendant une dizaine de minutes.

Servir à part une sauce abricot parfumée au kirsch.

BEIGNETS DE BANANES

Photo page 200

Ingrédients pour 6 personnes :

Pâte à frire :
(voir recette des beignets aux pommes)

4 bananes
50 g de sucre
2 cuillerées à soupe de rhum
Sucre semoule pour rouler

Faire la pâte à frire.

Couper la banane en 8 bâtonnets. Saupoudrer de sucre. Arroser de rhum, les laisser macérer dans le rhum.

Avec une fourchette, les tremper dans la pâte à frire et les plonger dans la friture à 150°. Les retourner pour les dorer des 2 côtés. Les égoutter sur un papier et les rouler dans le sucre.

Dresser sur un plat chaud.

BEIGNETS DE PÊCHES
« A L'INFANTE »

Ingrédients pour 8 personnes :

8 petites pêches blanches
150 g de pâte d'amandes
2 cuillerées à soupe de kirsch
Gelée d'abricots
50 g de macarons pilés
Pâte à frire et friture

Faire une pâte à frire (voir recette des beignets aux pommes). Tremper les pêches dans l'eau bouillante et les mettre aussitôt dans l'eau glacée. Les peler. Les couper en 2. Enlever le noyau et le remplacer par une petite boule de pâte d'amandes.

Enduire les pêches de gelée d'abricots et les rouler dans les macarons pilés. Laisser un peu sécher.

Avec une fourchette, les tremper dans la pâte à frire et les plonger dans la friture à 150°. Les retourner et les faire dorer des 2 côtés.

Les retirer et les laisser égoutter sur un papier. Les rouler dans le sucre.

Servir aussitôt avec une sauce aux abricots au porto.

BEIGNETS AUX POMMES

Photo page 184

Ingrédients pour 12 personnes :

8 pommes
50 g de sucre semoule
1/2 verre de rhum
Huile pour friture

Pâte à frire :

125 g de farine
15 g de sucre
1 pincée de sel
3,5 dl de bière
2 cuillerées à soupe d'huile
2 blancs d'œufs
100 g de sucre mélangé avec 1 cuillerée à café de cannelle

Peler les pommes et enlever le trognon avec un emporte-pièce (vide-pomme). Les couper en tranches épaisses de 1 cm et les faire mariner dans du sucre et un peu de rhum.

Faire la pâte à frire. Mettre dans un bol la farine, le sel, le sucre, l'huile et délayer avec la bière sans trop travailler la pâte. Au besoin, ajouter de l'eau tiède. La pâte doit être mollasse. Laisser reposer à couvert dans un endroit tiède durant 2 heures.

Avant l'emploi, monter les blancs en neige et les incorporer délicatement à la pâte.

Faire chauffer la friture à 150°. Tremper les pommes dans la pâte à frire et les plonger dans la friture avec une fourchette. Les pommes doivent cuire en même temps que la pâte. Les retourner dès que la partie du dessous est colorée. Temps de cuisson : environ 6 à 8 minutes.

Égoutter les beignets sur un linge, puis les rouler dans le sucre mélangé à la cannelle. Les dresser sur un plat et les accompagner d'une sauce vanille ou d'une sauce abricot à laquelle on aura ajouté 1/2 verre de porto.

On peut faire de la même façon des beignets d'ananas, de bananes ou de pêches.

POIRES A L'ALSACIENNE

Ingrédients pour 6 à 8 personnes :

Pâte à choux :

1/4 de litre d'eau
125 g de beurre
200 g de farine
40 g de sucre
8 g de sel
10 à 12 œufs

Pour fourrer :

8 poires
60 g de beurre
Sucre
1 cuillerée à soupe de gelée ou confiture d'abricots
1 cuillerée à soupe de liqueur de poires
Chantilly pour décorer
Sucre glace ou sucre cuit au cassé pour le décor

Faire une pâte à choux (voir recette).

Cuire de gros choux. Retirer du four et laisser un peu refroidir. Cuire au beurre des poires coupées en dés. Les sucrer et ajouter un peu de gelée d'abricots. Parfumer avec de la liqueur de poires.

Couper les choux en 2 et les remplir avec les dés de poires cuites. Les décorer d'une rosace de crème Chantilly et les recouvrir du couvercle. Saupoudrer de sucre glace ou napper le couvercle de sucre cuit au cassé.

PROFITEROLES GLACÉES
AU CHOCOLAT

Photo page 184

Pour la pâte à choux :

1/4 de litre de lait
100 g de sucre
1 pincée de sel
120 g de beurre
140 g de farine
4 œufs

Pour la sauce au chocolat chaud :

1 tablette de 300 g de chocolat fondant
1 cuillerée à soupe de sucre vanillé
1 tasse de crème
Faire bouillir en y ajoutant 100 g de beurre

Mettre dans une casserole le lait, le beurre, la pincée de sel et le sucre. Faire bouillir. Ajouter la farine et dessécher la pâte sur le feu en tournant avec la spatule. Enlever du feu et ajouter un à un les 4 œufs. Il faut que la pâte soit bien homogène. Laisser refroidir.

Avec la poche à douille ronde, dresser des petits choux ronds sur une plaque beurrée. Saupoudrer de sucre cristallisé. Cuire à four chaud (200°) durant 20 minutes. Les choux doivent rester moelleux.

Pour les servir, fendre les choux avec un couteau et y mettre une petite boule de glace vanille. Les placer sur un plat et napper d'une sauce au chocolat chaud.

KOUGLOPF

Ingrédients pour 8 personnes :

500 g de farine
3 œufs
125 g de sucre
10 g de sel
250 g de beurre
15 g de levure
1/8 de litre de lait
100 g de raisins de Malaga
Un peu de kirsch
Quelques amandes entières
Beurre pour le moule
Sucre glace pour saupoudrer

Faire un levain avec la moitié du lait tiède, délayer la levure. Ajouter de la farine pour faire une pâte consistante. Laisser lever dans un endroit tiède.

Mettre le reste de farine dans une terrine. Ajouter le sel, le sucre et le lait tiède. Mélanger et ajouter les œufs et la moitié du beurre ramolli. Bien battre la pâte et ajouter peu à peu le reste de beurre. Bien faire souffler la pâte. Ajouter en dernier le levain qui aura doublé de volume. Battre encore quelques minutes. Il faut que la pâte se détache de la terrine. Ajouter à ce moment-là les raisins de Malaga trempés au kirsch. Recouvrir d'une serviette et laisser lever dans un endroit tiède pendant 1 heure 30. Quand la pâte a doublé de volume, la rompre avec la main.

Beurrer le moule à kouglopf et garnir chaque rainure d'une amande entière. Mettre la pâte. Laisser pousser jusqu'au bord du moule. Cuire au four à 180° durant 1 heure.

Sortir le kouglopf du moule, le laisser refroidir et le saupoudrer de sucre glace.

BETTELMANN
gâteau aux cerises à l'alsacienne

Ingrédients pour 10 personnes :

125 g de beurre
125 g de sucre
125 g d'amandes en poudre
8 jaunes d'œufs
8 blancs d'œufs en neige
6 petits pains au lait
2 cuillerées à soupe d'amandes effilées
2 kg de cerises noires entières
Cannelle

Battre le beurre mousseux. Ajouter 125 g de sucre, les jaunes d'œufs, les amandes en poudre, ainsi que les petits pains trempés au lait et écrasés.

Monter les 8 blancs d'œufs en neige avec 50 g de sucre et les mélanger doucement à l'appareil ci-dessus. Ajouter 1 pointe de cannelle et les cerises noires.

Beurrer un moule en terre. Verser l'appareil et saupoudrer d'amandes effilées. Cuire au four à 150° durant 45 minutes.

BERAWEKA

Ingrédients pour 12 personnes :

400 g de poires séchées
100 g de pommes séchées
250 g de pruneaux séchés
200 g de figues séchées
125 g de cerneaux de noix
100 g d'amandes
1/4 de litre de kirsch
100 g d'orangeade et de citronnade
1 clou de girofle
Cannelle en poudre
2 grains d'anis écrasés
250 g de raisins de Corinthe
200 g de raisins de Malaga
100 g de sucre

Pâte levée :

500 g de farine
1 pincée de sel
50 g de sucre
1/2 litre de lait
50 g de beurre
25 g de levure

Pour la pâte levée : faire le levain. Délayer la levure dans un peu de lait tiède. Ajouter un peu de farine jusqu'à ce qu'il se forme une boule épaisse. Couvrir avec un linge et laisser lever dans un endroit tiède jusqu'à ce que la masse double de volume.

Dans un bol, mettre la farine, le sel, le sucre et mélanger avec le lait tiède. Bien battre la pâte et ajouter le levain ainsi que le beurre ramolli. Continuer de battre jusqu'à ce que la pâte se détache du bol. Si la pâte n'est pas assez ferme, remettre un peu de farine. Couvrir avec un linge et laisser dans un endroit chaud durant 1 heure.

Quand la pâte est levée, la rabattre et mélanger tous les fruits macérés. Bien malaxer le tout.

Avec cette pâte, former des pains longs et les badigeonner avec du sirop de sucre. Les laisser lever durant 2 heures dans un endroit chaud.

Les cuire au four à 200° durant 1 heure.

Pour les fruits : tremper durant 2 heures à l'eau chaude les poires, pommes et pruneaux. Couper tous les fruits et les hacher grossièrement, l'orangeade et la citronnade plus finement, ainsi que les noix et les amandes. Écraser 1 clou de girofle et les grains d'anis avec la cannelle. Mettre les raisins. Faire mariner durant la nuit avec le kirsch et le sucre.

TARTE AU FROMAGE BLANC

Ingrédients pour 6 personnes :

Pâte brisée :

250 g de farine
5 g de sel
15 g de sucre
1 jaune d'œuf
150 g de beurre
1/8 de litre d'eau

Flan au fromage :

500 g de fromage blanc
150 g de sucre
100 g de beurre
4 œufs
50 g de farine
100 g de raisins de Corinthe
1 cuillerée à soupe de kirsch
Zeste de 1/2 citron

Tamiser la farine, former une fontaine et placer au centre le sel fin, le sucre, le jaune d'œuf et le beurre ; ajouter un peu d'eau (environ 1/8 de litre). Mélanger le tout, puis fraiser la pâte en la laissant passer entre la paume des mains. Renouveler cette opération, puis rassembler la pâte ainsi formée, la mettre dans un linge propre et la laisser reposer quelques heures dans un endroit frais jusqu'au moment de l'emploi.

Foncer un moule ou un cercle à tarte beurré avec la pâte brisée et la cuire à blanc.

Préparer le flan au fromage. Mélanger le fromage blanc avec le sucre (100 g). Ajouter le beurre fondu, les 4 jaunes d'œufs, la farine ainsi que les raisins de Corinthe préalablement trempés dans le kirsch. Bien travailler le tout, puis mélanger délicatement aux 4 blancs d'œufs battus en neige avec 50 g de sucre. Ajouter le zeste de citron.

Verser cette préparation au fromage sur la pâte.

Cuire au four à 150° pendant 30 minutes.

TARTE AUX FRAISES DES BOIS

Ingrédients pour 6 personnes :

400 g de pâte à tarte sucrée
1/4 de litre de lait
1/2 gousse de vanille
20 g de semoule
20 g de sucre
30 g de raisins de Corinthe macérés au kirsch
2 jaunes d'œufs
500 g de fraises des bois
2 cuillerées à soupe de gelée de fraises
Chantilly pour décorer

Foncer un moule à tarte beurré avec une pâte sucrée et la cuire à blanc.

Préparer un appareil à pudding de semoule avec raisins de Corinthe : mettre dans une casserole le lait et la vanille, faire bouillir. Verser 20 g de semoule en pluie et 20 g de sucre, donner quelques bouillons et ajouter hors du feu les 2 jaunes d'œufs et les raisins de Corinthe. Verser l'appareil à semoule sur le fond de la tarte et cuire au four doux durant 20 minutes.

Laisser refroidir et disposer dessus les fraises des bois.

Napper avec un peu de gelée de fraises et décorer avec de la crème Chantilly.

SAVARINS AUX FRAISES DES BOIS ET GRAND MARNIER
(12 savarins)

Ingrédients pour 12 personnes :

Pâte à savarin :
250 g de farine
60 g de sucre
75 g de beurre
4 œufs
8 g de levure
3 cuillerées à soupe de lait
1 pincée de sel
1 kg de fraises des bois
1/10 de litre de Grand Marnier
100 g de sucre
Crème Chantilly pour décorer

Pour le sirop :

1/2 litre de sirop à 30°
4 cuillerées à soupe de Grand Marnier

Faire la pâte à savarin. La laisser reposer 1 heure environ. Quand elle est bien levée, la rabattre et la partager dans de petits moules à savarin bien beurrés. Laisser lever durant 30 minutes et cuire durant 15 minutes au four à 200°. Sortir du four et démouler. Laisser refroidir.

Chauffer le sirop et tremper les petits savarins. Les dresser sur un plat et remplir le creux avec les fraises des bois macérées au sucre et au Grand Marnier.

Décorer avec la crème Chantilly.

GÂTEAU A L'ANANAS

Ingrédients pour 6 personnes :

125 g de brisures de biscuits
(génoise)
1/2 litre de lait
80 g de sucre
3 œufs

1 cuillerée à soupe de farine
Le zeste de 1/2 citron
Sucre glace
Un peu de crème Chantilly pour
décorer le plat

Dans un plat à gratin beurré, mettre des brisures de biscuits passés au tamis. Remplir de moitié.

Recouvrir le plat à gratin avec l'appareil suivant : 1/2 litre de lait, 80 g de sucre, 3 œufs entiers, 1 cuillerée à soupe de farine et le zeste râpé de 1/2 citron.

Saupoudrer de sucre glace et cuire au four à 150º durant 30 minutes. Recouvrir d'un salpicon d'ananas parfumé au kirsch et décorer avec de la crème Chantilly.

Servir à part un coulis de fraises ou de framboises.

JALOUSIE A L'ANANAS

Ingrédients pour 6 personnes :

400 g d'ananas
1/10 de litre de sirop à 30º
400 g de crème pâtissière
1 cuillerée à soupe d'amandes en poudre
50 g de cerises confites bigarreaux
1 cuillerée à soupe de kirsch
300 g de pâte feuilletée
1 jaune d'œuf pour la dorure

Hacher l'ananas et le faire cuire dans un sirop pour qu'il soit légèrement confit. Le mélanger ensuite avec la même quantité de crème pâtissière et 1 cuillerée à soupe d'amandes en poudre, ainsi que 50 g de cerises confites coupées, préalablement trempées au kirsch.

Étendre sur une plaque 2 abaisses rectangulaires de pâte feuilletée (25 × 12 cm). Piquer la pâte d'une abaisse et placer tout le long la composition à l'ananas en laissant 2 cm tout autour. Dorer le tour de la pâte et recouvrir de la deuxième abaisse, cette dernière ayant été ciselée comme une jalousie. Bien presser le tour pour faire souder les 2 pâtes. Dorer au jaune d'œuf et cuire au four à 180º durant 30 minutes.

Couper en tranches et servir avec une crème vanille.

TARTE AUX ABRICOTS

Ingrédients pour 6 à 8 personnes :

400 g de pâte feuilletée	25 g de farine
125 g de beurre	1,250 kg d'abricots
125 g de sucre	200 g de crème pâtissière
1 cuillerée à café de sucre vanillé	8 macarons écrasés
125 g d'amandes en poudre	Sucre glace
3 œufs	500 à 600 g de crème pâtissière

Beurrer et foncer un moule à tarte (26 cm) avec la pâte feuilletée. Cuire à blanc durant 10 minutes.

Préparer la garniture. Mélanger le beurre mousseux avec le sucre en poudre, le sucre vanillé et les amandes en poudre. Ajouter un à un en mélangeant bien les 3 œufs et la farine.

Sortir la tarte du four, y verser la garniture (elle a 1 cm d'épaisseur environ). Disposer dessus les demi-abricots et cuire au four chaud (180º) environ 30 minutes.

Sortir la tarte du four. Couvrir les abricots d'une crème pâtissière.

Saupoudrer de quelques macarons écrasés et de sucre glace et faire caraméliser au four chaud.

TARTE AUX ABRICOTS CARAMÉLISÉE

Ingrédients pour 6 personnes :

300 g de pâte feuilletée ou demi-feuilletée
1,500 kg d'abricots
60 g de sucre

Pour la crème hollandaise :

125 g de sucre
2 œufs
60 g d'amandes en poudre
65 g de farine
65 g de beurre

Pour la crème Chiboust :

1/4 de litre de lait
100 g de sucre
1/2 gousse de vanille
25 g de maïzena
3 feuilles de gélatine
4 œufs

Foncer un moule à tarte avec la pâte feuilletée (ou demi-feuilletée).

Préparer la crème hollandaise. Travailler le sucre, 1 œuf entier et 1 jaune jusqu'à ce que le mélange soit mousseux. Ajouter les amandes en poudre pilées avec 1 blanc d'œuf, la farine et le beurre fondu. Verser cette crème sur la pâte, poser dessus les demi-abricots, saupoudrer de sucre et cuire au four chaud (25 minutes environ).

Préparer la crème Chiboust. Faire bouillir le lait avec la vanille. Travailler le sucre et les jaunes d'œufs jusqu'à ce que le mélange soit mousseux. Mélanger la maïzena avec les feuilles de gélatine (qu'on aura laissées tremper dans l'eau froide). Verser dans le lait bouillant, en remuant, le mélange d'œufs et la maïzena avec la gélatine. Donner une ébullition et verser bouillant sur les 4 blancs battus en neige.

Retirer du four la tarte cuite, la recouvrir de la crème Chiboust (3 cm d'épaisseur). La remettre au four 5 minutes. Saupoudrer de sucre glace et faire caraméliser à la salamandre ou sous la voûte du four.

TARTELETTES CHAUDES
AUX POMMES

Ingrédients pour 6 personnes :

300 g de pâte demi-feuilletée
6 pommes Golden
120 g de beurre
125 g de sucre
160 g de raisins de Corinthe
3 jaunes d'œufs
50 g de sucre vanillé
30 g d'amandes en poudre
1/2 dl de crème fraîche
100 g d'amandes effilées

Foncer des moules à tartelettes avec une pâte demi-feuilletée et les cuire à blanc.

Faire sauter au beurre les pommes coupées en dés et sucrées. Dès qu'elles sont presque cuites, les mélanger avec les raisins de Corinthe.

Mettre les pommes dans les moules à tartelettes et les recouvrir de l'appareil suivant : 3 jaunes d'œufs, 50 g de sucre vanillé, 30 g d'amandes en poudre, 1/2 dl de crème fraîche. Saupoudrer de quelques amandes effilées et cuire au four à 180° durant 20 minutes.

Servir avec une sauce aux abricots parfumée au porto.

TARTE AUX POMMES COQUELIN

Ingrédients pour 6 à 8 personnes :

1 kg de pommes reinettes
80 g de beurre
50 g de sucre vanillé
Confiture ou purée d'abricots
1/2 verre de porto

Pour la pâte :

250 g de farine
150 g de beurre
100 g de sucre
1 pincée de sel
1/2 dl d'eau froide

Pour la garniture :

3 jaunes d'œufs
50 g de sucre vanillé
30 g d'amandes en poudre
1/2 dl de crème fraîche

Pour le glaçage :

1 blanc d'œuf
20 g de sucre semoule
20 g d'amandes effilées

Préparer la pâte et la laisser reposer au frais pendant 1 heure.

Beurrer un moule à tarte, le foncer avec la pâte et cuire à blanc.

Peler et émincer les pommes et les sauter au beurre avec du sucre vanillé.

Garnir la tarte avec une couche de purée d'abricots et par-dessus ranger les pommes sautées au beurre. Couler dessus la garniture suivante : 3 jaunes d'œufs, 50 g de sucre semoule vanillé, 30 g d'amandes en poudre, 1/2 dl de crème fraîche.

Faire cuire au four à 180° durant 20 minutes.

Dès que la tarte est cuite, la recouvrir d'une mince couche du glaçage suivant : 1 blanc d'œuf, 20 g de sucre semoule, 20 g d'amandes effilées. Remettre au four durant 5 minutes.

Servir la tarte avec le reste de purée d'abricots à laquelle on aura ajouté 1/2 verre de porto.

Gâteau Belle Hélène (recette p. 222).

TARTE AUX POMMES WEIMAR

Ingrédients pour 6 personnes :

1 kg de pommes (Boskoop ou reinettes)

Pâte :

250 g de farine
150 g de beurre
100 g de sucre
1 pincée de sel
4 ou 5 cuillerées à soupe d'eau froide

Garniture :

6 jaunes d'œufs
125 g de sucre
125 g de macarons écrasés
1,5 dl de crème fraîche

Faire la pâte à tarte. Beurrer et foncer le moule à tarte avec la pâte.

Peler et émincer finement les pommes. Bien les ranger sur la tarte. Cuire au four chaud (180°) durant 30 minutes.

Préparer la garniture. Travailler les jaunes et le sucre pour obtenir un mélange mousseux. Ajouter les macarons écrasés et la crème.

Sortir la tarte du four. Verser la garniture sur la tarte. Remettre au four 10 minutes.

Démouler et mettre à refroidir sur une grille.

Servir avec une saucière de crème double.

GÂTEAU BELLE HÉLÈNE

Photo page 220

Ingrédients pour 12 personnes :

300 g de pâte sucrée (voir recette)
3 cuillerées à soupe de gelée de framboises
1 fond de biscuit au chocolat (génoise)
4 cuillerées à soupe d'eau-de-vie de poires
6 poires pochées au sirop

Pour la crème ganache :

4 cuillerées à soupe de crème
200 g de chocolat
2 feuilles de gélatine
600 g de crème Chantilly

Pour décorer :

1 poire
1 feuille de pâte d'amandes verte
Un peu de chocolat fondu
Des feuilles en chocolat

Étendre la pâte sucrée en un rond de 26 cm de diamètre, la piquer et la cuire.

Mettre le fond de pâte sucrée dans un moule à cercle rond. Badigeonner avec la gelée de framboises. Poser dessus un rond de génoise au chocolat imprégné de l'eau-de-vie de poires. Couper les poires en tranches et les poser sur la génoise au chocolat.

Faire la crème ganache : dans une casserole, mettre la crème, faire cuire. Ajouter le chocolat. Remuer pour bien mélanger le chocolat fondu. Ajouter la gélatine trempée dans l'eau fraîche. Laisser refroidir et incorporer la crème Chantilly.

Verser cette crème sur les poires et laisser refroidir.

Enlever le cercle et décorer le gâteau avec les feuilles en chocolat (ou avec de la crème Chantilly), la feuille en pâte d'amandes verte et une poire enrobée à moitié de chocolat fondu.

GÉNOISE AU CHOCOLAT

Battre mousseux 5 jaunes d'œufs avec 100 g de sucre. Ajouter 40 g d'amandes en poudre, 40 g de farine et 25 g de poudre de cacao ; ensuite 25 g de beurre fondu et les 4 blancs d'œufs en neige. Dresser une couche pas trop épaisse sur une plaque beurrée et cuire au four doux (150°) durant 30 minutes.

EUGÉNIE AU KIRSCH
ET BUTTAMUAS

Ingrédients pour 8 personnes :

1 génoise de 20 cm
1/2 verre de kirsch
1/2 verre de sirop de sucre
200 g de confiture « Buttamuas »
300 g de crème pâtissière
4 cuillerées à soupe de crème Chantilly
Quelques cerises confites
Crème Chantilly pour garnir

Pour la crème mousseline :

1/2 litre de lait
1/2 gousse de vanille
6 jaunes d'œufs
100 g de sucre
3 feuilles de gélatine
2 cuillerées à soupe de kirsch
1/4 de litre de crème Chantilly

Cuire une petite génoise et la découper en 3 dans son épaisseur avec un couteau à scie. Faire 4 tranches de la même épaisseur. Humecter ces tranches avec un sirop au kirsch.

Tartiner une tranche avec la confiture de Buttamuas, l'autre avec une crème pâtissière à laquelle on aura ajouté quelques cuillerées de crème Chantilly afin de la rendre plus légère. Faire de même avec les 2 autres tranches. Reformer le gâteau et le laisser refroidir durant 2 heures. Dresser sur un plat et napper d'une crème mousseline au kirsch. Décorer le gâteau avec de la crème Chantilly et quelques cerises confites.

Crème mousseline

Faire une crème vanille avec 1/2 litre de lait, 6 jaunes d'œufs, 100 g de sucre, 1/2 gousse de vanille.

Au moment de retirer la crème du feu, ajouter 3 feuilles de gélatine trempées à l'eau froide et 2 cuillerées de kirsch.

Dès que la crème est froide, lui incorporer 1/4 de litre de crème Chantilly. Bien mélanger le tout.

GÂTEAU AUX MARRONS

Ingrédients pour 8 personnes :

2 kg de marrons	1 gousse de vanille
150 g de chocolat	150 g de beurre
2 cuillerées à soupe de rhum	12 biscuits à la cuillère
2 jaunes d'œufs	Rhum pour imbiber les biscuits
100 g de sucre	Chantilly pour décorer
1/2 litre de lait	12 marrons glacés

Inciser et faire cuire les marrons à l'eau légèrement salée. Les éplucher et les mettre à cuire dans une casserole. Mouiller à hauter des marrons avec le lait et ajouter la gousse de vanille fendue en 2. Laisser cuire jusqu'à ce que les marrons aient absorbé tout le lait. Les passer au tamis fin.

A la purée de marrons chaude, ajouter le chocolat ramolli, le beurre, les 2 jaunes d'œufs, le sucre et le rhum. Bien mélanger le tout.

Tapisser un moule rectangulaire ou rond avec les biscuits à la cuillère imbibés de rhum. Remplir le moule avec la purée de marrons et mettre au réfrigérateur durant la nuit.

Démouler sur un plat et décorer avec de la crème Chantilly et des marrons glacés. Servir avec un sabayon au whisky.

CONGOLAIS

3 blancs d'œufs
150 g de sucre
150 g de noix de coco en poudre
Beurre pour la plaque

Dans un bol au bain-marie, fouetter 3 blancs d'œufs avec 150 g de sucre jusqu'à ce que le mélange soit chaud (45° environ).

Hors du feu, ajouter 150 g de noix de coco en poudre. Fouetter encore quelques minutes.

A l'aide d'une petite cuillère, dresser la pâte sur une plaque beurrée en formant des petites boules de la grosseur de 1 noix. Cuire au four à 150° durant une vingtaine de minutes.

Les congolais doivent rester moelleux à l'intérieur.

BEIGNETS DE CARNAVAL (FASTNACHTSKIECHLA)

Ingrédients pour 10 personnes :

500 g de farine	1 tasse de lait
20 g de levure	10 g de sel
30 g de sucre	Huile pour friture
4 œufs	100 g de sucre
100 g de beurre	Un peu de cannelle en poudre

Mettre la farine dans une terrine. Faire un levain en délayant la levure avec le lait tiède et à peu près 100 g de farine. Laisser lever à couvert dans un endroit tiède (30 minutes environ).

Mettre le restant de farine dans la terrine, ajouter les œufs, le sucre (30 g) et le sel. Faire une pâte assez ferme. Bien battre et faire souffler la pâte. Ajouter peu à peu le beurre ramolli. Battre encore quelques instants. Laisser lever. Dès que la pâte a doublé de 2 fois son volume, la rabattre.

Abaisser la pâte au rouleau de l'épaisseur de 2 cm et découper des disques de 5 cm de diamètre. Les poser sur un torchon fariné et les laisser doubler de volume.

Les plonger dans la friture à 140° et les retourner dès que 1 côté est doré. Les égoutter sur un linge et les rouler dans le sucre additionné de cannelle.

On peut farcir les beignets avec de la gelée de groseilles à la sortie de la friteuse, à l'aide d'une poche avec une petite douille ronde, en piquant la pointe au milieu des beignets.

PALETS AUX RAISINS

250 g de beurre
250 g de sucre
6 œufs
250 g de farine

100 g de raisins de Corinthe
2 cuillerées à soupe de rhum
Beurre pour la plaque

Battre mousseux 250 g de beurre ramolli avec 250 g de sucre. Puis ajouter un à un 6 œufs. Ajouter ensuite 250 g de farine, puis 100 g de raisins de Corinthe que l'on aura fait macérer au rhum.

Dresser à l'aide d'une poche à douille ronde des boules de pâte de la grosseur de 1 noix sur une plaque beurrée. Bien les espacer car les palets s'étalent à la cuisson.

Cuire au four à 180° durant 20 minutes.

SOLFÉRINO

5 blancs d'œufs
125 g de sucre semoule
125 g d'amandes en poudre

Beurre pour la plaque
Amandes hachées pour décorer
Confiture d'abricots

Dans une terrine, battre les blancs d'œufs en neige ferme. Ajouter le sucre, puis les amandes en poudre.

A l'aide d'une poche à douille ronde, sur une plaque beurrée, dresser de petits tas de pâte (allongés ou ronds). Saupoudrer de quelques amandes hachées.

Cuire au four à 180° pendant 20 minutes. Les amandes doivent blondir légèrement.

Laisser refroidir les « Solférino » et les accoler 2 par 2 avec de la confiture d'abricots.

SOUFFLAGE

300 g de sucre
3 blancs d'œufs

65 g de poudre de cacao
65 g de sucre glace

Cuire 300 g de sucre au boulé. L'ajouter bouillant petit à petit à 3 blancs battus en neige très ferme. Ajouter, en mélangeant, la poudre de cacao et le sucre glace.

Beurrer une plaque. A l'aide d'une poche à petite douille ronde, disposer sur la plaque de petits bâtonnets de pâte.

Laisser sécher pendant 3 heures.

Puis cuire au four à 120° pendant 15 minutes.

SABLÉS ROULÉS AU SUCRE CRISTAL

200 g de beurre
100 g de sucre
2 œufs
2 cuillerées à café de sucre vanillé

300 g de farine
1 jaune d'œuf pour dorer
3 cuillerées à soupe de sucre cristal
Beurre pour la plaque

Dans un bol, pétrir le beurre ramolli avec le sucre, les œufs et le sucre vanillé. Ajouter la farine.

Mettre la pâte en boule, garder au froid.

Couper la pâte en 4 parties et rouler chaque partie en forme de boudin. Badigeonner les boudins d'un jaune d'œuf et les rouler dans le sucre cristal en faisant bien adhérer le sucre.

Couper les boudins en tranches de 1 cm d'épaisseur et les poser sur une plaque beurrée.

Cuire au four à 180° jusqu'à ce que les sablés soient légèrement dorés (environ 15 minutes).

PÂTE FEUILLETÉE

500 g de farine tamisée
500 g de beurre
15 g de sel
1,5 dl d'eau
1 œuf

Faire une pâte brisée de la façon suivante : mettre en fontaine les 500 g de farine tamisée et le sel (15 g). Bien sabler avec 200 g de beurre. Ajouter ensuite 1,5 dl d'eau préalablement mélangée avec l'œuf. Mélanger le tout pour en faire une pâte. Travailler un peu (pas trop). Mettre en boule et laisser reposer 30 minutes.

Étaler ensuite cette pâte brisée au rouleau pour en faire un carré de 1/2 cm d'épaisseur. Disposer sur tout le carré de pâte le restant (300 g) de beurre (bien dur), coupé en fines tranches que l'on fera se chevaucher légèrement. Rabattre les 4 coins de la pâte sur le beurre de façon que ce dernier soit complètement recouvert.

Sur une table réfrigérée ou un endroit frais, le carré ainsi obtenu sera étalé toujours dans le même sens, pour en faire un rectangle 2 fois plus long que le précédent carré.

Plier ensuite en 3 pour refaire le carré initial.

Refaire la même opération, en étalant cette fois la pâte dans l'autre sens. La pâte feuilletée a maintenant 2 tours. Laisser reposer la pâte pendant 20 minutes dans un endroit frais. Donner encore 2 fois 2 tours en laissant à chaque fois reposer la pâte pendant 20 minutes. Après le sixième tour la pâte feuilletée est terminée et prête à l'emploi.

Pour une pâte demi-feuilletée, on procède de la même façon, mais en ne mettant que 300 g de beurre.

PÂTE SUCRÉE

550 g de farine
250 g de beurre
150 g de sucre
1 œuf + 2 jaunes
Sucre vanillé
1 pincée de sel

Mettre la farine dans le bol du mixer. Ajouter le sucre, le sel, le sucre vanillé et le beurre en petits morceaux. Bien mélanger. Ajouter l'œuf et les 2 jaunes.

Lorsque le mélange est bien homogène, le sortir du bol, le mettre en boule et le garder au frais dans un linge humide.

PÂTE BRISÉE

500 g de farine
10 g de sel
30 g de sucre
2 jaunes d'œufs
300 g de beurre
1/4 de litre d'eau

Mettre la farine, le sel, le sucre et le beurre ramolli dans le bol de votre mélangeur. Bien mélanger. Ajouter les 2 jaunes d'œufs et l'eau. Lorsque tous les ingrédients sont bien mélangés, sortir la pâte et la mettre au frais dans un linge humide.

PÂTE A BRIOCHE

500 g de farine
4 œufs
250 g de beurre
1 tasse de lait

15 g de levure
40 g de sucre
10 g de sel

Faire un levain. Délayer la levure dans un peu de lait tiède, mélanger avec de la farine et laisser lever durant 15 minutes.

Mettre la farine dans le bol du mélangeur avec les œufs, le sel, le sucre et le reste de lait. Mélanger en y ajoutant petit à petit le beurre ramolli ainsi que le levain. Bien battre jusqu'à ce que la pâte se détache du bol. Recouvrir avec un linge et laisser lever dans un endroit tempéré durant 1 heure 30. Dès que la pâte aura doublé de volume, la rabattre. A ce moment, elle est prête pour l'emploi.

GÉNOISE

500 g de sucre
400 g de farine
100 g de fécule
16 œufs
150 g de beurre fondu
1 paquet de sucre vanillé

Fouetter les œufs, le sucre et la vanille sur le feu au bain-marie jusqu'à obtention du ruban.

Retirer du feu. Fouetter pour refroidir. Ajouter la farine tamisée, la fécule, puis le beurre fondu chaud.

Mettre dans les moules beurrés et farinés et cuire au four à 180° durant 45 minutes.

PÂTE A CHOUX

1/4 de litre de lait	6 œufs
150 g de beurre	5 g de sel
150 g de farine	5 g de sucre

Mettre dans une casserole le lait, le beurre, le sucre et le sel. Faire bouillir. Ajouter d'un seul trait la farine. Bien dessécher la pâte sur le feu et en tournant à la spatule. Il faut que la pâte se détache de la casserole.

Enlever la pâte du feu et ajouter les œufs 2 par 2 en battant bien la pâte.

La pâte étant devenue bien homogène, la mettre dans une terrine. Elle est prête pour la préparation et la cuisson des choux.

SAUCE VANILLE

1 litre de lait
1 gousse de vanille
10 jaunes d'œufs
200 g de sucre semoule

Faire bouillir le lait avec la gousse de vanille fendue en 2 dans le sens de la longueur.

Dans une terrine, battre les jaunes d'œufs avec le sucre jusqu'à ce qu'ils blanchissent. Verser le lait bouillant et remettre le mélange sur feu doux (ou au bain-marie) jusqu'à la nappe, sans cesser de tourner doucement à la spatule (ne pas faire bouillir).

Enlever du feu et fouetter de temps en temps jusqu'au refroidissement.

COULIS DE FRAISES
OU FRAMBOISES

500 g de fruits frais
250 g de sucre
1 tasse de sirop de sucre à 30°
1 citron

Passer au mixer 500 g de fruits lavés, pelés. Ajouter 250 g de sucre en poudre, 1 tasse de sirop, ainsi que le jus de 1 citron.

SAUCE AUX ABRICOTS

500 g de purée d'abricots
1/2 litre d'eau
500 g de sucre
1 cuillerée à soupe de fécule
3 cuillerées à soupe de kirsch

Mettre la purée de fruits, l'eau et le sucre dans une casserole. Faire bouillir durant 5 minutes. Ajouter la cuillerée de fécule délayée dans l'eau froide.

Enlever du feu et ajouter le kirsch.

LEXIQUE

ABAISSE : Morceau de pâte que l'on a étendue au moyen d'un rouleau pour l'amincir et pour lui donner l'épaisseur voulue ; elle sert à foncer un moule, une tarte, des tartelettes.

ABATTIS : Cou, tête, foie, estomac des volailles.

APPAREIL : Préparation comportant divers éléments servant pour faire un gâteau, une tarte, une crème, une farce.

BAIN-MARIE : Récipient contenant de l'eau, dans lequel on place un autre récipient contenant une préparation à cuire ou à tenir au chaud.

BARDE : Lard gras coupé en tranches minces qui servent à foncer une casserole ou envelopper une volaille, un gibier.

BEURRE MANIÉ : Il est fait en mélangeant sans grumeaux un poids de beurre au même poids de farine. Ce beurre s'emploie pour la liaison rapide de certaines sauces.

BEURRER : Enduire de beurre un plat, moule ou casserole afin d'empêcher les mets d'attacher aux parois ou au fond des ustensiles.

BLANC : Cuisson composée de farine diluée dans de l'eau salée, citronnée ; on y cuit les éléments qui risqueraient de noircir.

BLANCHIR : Mettre un aliment à l'eau froide et le porter à ébullition, pour une précuisson.

BLONDIR : Laisser légèrement colorer (à blond) un légume, une viande.

BOUQUET GARNI : Herbes ou plantes aromatiques attachées ensemble : vert de poireau, persil, thym, laurier, etc.

CHINOIS : Appareil en forme de cône dont la partie inférieure est formée d'une étamine métallique. Il sert à passer les sauces.

CUISSON À BLANC : Cuisson d'une croûte de pâte vide, simplement garnie d'un papier et de haricots, ou noyaux, ou cailloux... destinés à l'empêcher de gonfler.

DÉCANTER : Trier et filtrer les éléments ayant fait partie de la cuisson.

DÉCUIRE : Ajouter un petit peu d'eau dans un caramel afin de diminuer la cuisson.

DÉGLACER : Détacher au moyen d'un peu de vin blanc, d'eau ou de bouillon le jus concentré d'une viande qui est restée dans le fond d'un sautoir ou d'une casserole.

DÉGRAISSER : Enlever l'excédent de graisse d'une préparation.

DÉPOUILLER : Enlever la peau d'un lapin ou d'un gibier ; se dit également d'une sauce qui réduit et dont on enlève les particules diverses à la surface.

DRESSER : Disposer les mets sur un plat avec goût.

DOUILLE : Sorte de petit entonnoir en fer-blanc qui se met au bout d'une poche à pâtisserie.

CROÛTONS : Petits morceaux de pain frits.

CUISSON : En dehors de sa signification habituelle (action de cuire), ce terme désigne souvent le liquide ou jus, résidu de la cuisson d'une viande ou d'un légume, qu'on appelle aussi « fond de cuisson ».

ÉCAILLER : Enlever les écailles d'un poisson.

ÉMINCER : Couper en tranches fines.

ÉMONDER : Signifie enlever la peau d'une amande après l'avoir passée à l'eau bouillante. Se dit également pour les tomates.

ÉPÉPINER : Enlever les pépins d'une tomate ou d'un raisin.

FARINER : Rouler dans la farine une viande, un poisson avant de le mettre à cuire ; saupoudrer de farine un moule, une plaque.

FONCER : Garnir un cercle ou un moule avec une abaisse de pâte.

FOND : Abaisse de pâte utilisée pour foncer un moule.

FOND : Jus provenant d'une cuisson de volaille, de légumes ou de viande, assaisonné ou aromatisé.

FONTAINE : La farine mise en cercle sur le marbre. Au milieu de ce cercle sont placés les divers éléments entrant dans la composition de la pâte.

FRAISER : Aplatir avec la paume de la main le premier mélange des éléments d'une pâte brisée afin de les répartir au mieux dans la masse.

JALOUSIE : Petit gâteau feuilleté garni de raies croisillonnées.

JULIENNE : Légumes taillés en bâtonnets plus ou moins grands.

LIER : Rendre une sauce plus épaisse et consistante, plus onctueuse.

MIREPOIX : Légumes taillés en dés plus ou moins gros.

MARINER : Faire tremper des viandes ou des poissons dans un liquide plus ou moins condensé et aromatisé (vin par exemple).

MONTER : Battre une préparation de façon qu'elle augmente de volume en lui ajoutant parfois un élément d'appoint.

MOUILLER : Ajouter à la pièce ou au mets à cuire le liquide nécessaire, bouillon, lait ou eau.

NAPPER : Recouvrir de leur sauce d'accompagnement les aliments au moment de servir.

PANER : Passer dans de la chapelure ou de la mie de pain une préparation que l'on aura farinée d'abord, puis passée dans l'œuf battu.

RAFRAÎCHIR : Passer sous l'eau froide un légume ou une viande, des lardons.

PASSER : Faire couler un potage, une sauce à travers un tamis, une passoire, un chinois.

POCHER : Jeter dans l'eau bouillante ou tout autre liquide des pâtes, des quenelles que l'on retire ensuite après une faible ébullition.

RÉDUIRE : Porter une sauce à ébullition pour en réduire le volume et en augmenter la concentration.

REVENIR : Cuire dans le beurre sans laisser roussir.

RISSOLER : Faire prendre dans un sautoir une couleur rousse à une viande en la tournant et retournant dans une matière grasse très chaude.

ROMPRE : Faire cesser la fermentation d'une pâte en la soulevant plusieurs fois avec les mains.

ROUX : Base de liaison composée généralement de beurre et de farine en proportions égales : 80 g de chaque ingrédient par litre de liquide à épaissir permettent d'obtenir une consistance normale de liaison. Ces proportions peuvent varier en plus ou en moins, selon que l'on désire obtenir une liaison plus ou moins épaisse.

SABAYON : Émulsion de jaunes d'œufs, de porto ou de vin fouettés à chaud, de façon à former une crème mousseuse.

SAISIR : Saisir un aliment, c'est l'exposer à l'action d'un feu vif et ardent ou à l'action d'un corps gras très chaud.

SALAMANDRE : Appareil de cuisson comportant l'élément calorifique au plafond.

SALPICON : Couper en salpicon, c'est couper en petits cubes la viande, la volaille, les abats...

SAUTER : Faire revenir, faire cuire à feu assez vif dans un plat à sauter contenant un corps gras.

SINGER : Saupoudrer de farine une mirepoix, une pièce de viande.

SUBRIC : Préparation composée de semoule et de légumes, liée au jaune d'œuf et cuite à la poêle au beurre clarifié ou au four.

SUER : Faire fondre à couvert avec un peu de beurre afin d'extraire l'eau de végétation.

TAMISER : Passer à travers un tamis de la farine ou une farce.

ZÉPHIR : Farce ultra-fine de veau, de volaille, de gibier ou de poisson.

TABLE DES ILLUSTRATIONS

INDEX ALPHABÉTIQUE DES RECETTES

TABLE DES MATIÈRES

Imprimerie Hemmerlé, Petit et Cie Paris-Reliure chez Ginoux à Montrouge
N° d'impression 2772 − N° d'édition : 11435. Octobre 1982 − Dépôt légal : Juin 1982